# LA NUIT
# DU TITANIC

# WALTER LORD

# LA NUIT
# DU TITANIC

*traduit de l'anglais
par Yves Rivière*

l'Archipel

Ce livre a été publié sous le titre
*A Night to Remember*
par Holt, Rinehart & Winston,
New York, 1955.
Il constitue une édition complétée
et remise à jour de l'ouvrage paru
aux éditions Robert Laffont en 1958.


En couverture : illustration de
Ken Marschall © 1997,
issue de *Les Grands Paquebots disparus*
(éd. Glénat / Madison Press).


Si vous souhaitez recevoir notre catalogue
et être tenu au courant de nos publications,
envoyez vos nom et adresse, en citant
ce livre, aux Éditions de l'Archipel,
4, rue Chapon, 75003 Paris.
Et, pour le Canada, à
Édipresse Inc., 945, avenue Beaumont,
Montréal, Québec, H3N 1W3.

ISBN 2-84187-097-9

# Préface

Quelque quarante ans après sa première édition, à New York, en 1955, *La Nuit du Titanic* demeure la reconstitution la plus fidèle et la plus précise des événements des 14 et 15 avril 1912, qui ont vu la fin du géant des mers.

Pour écrire son livre, Walter Lord s'est fondé à la fois sur les enquêtes approfondies menées au lendemain de la catastrophe par les commissions du tribunal des naufrages britannique et du Sénat américain[1] et sur les témoignages qu'il a directement recueillis auprès de plusieurs dizaines de rescapés. A l'époque où Lord fait le projet de retracer la catastrophe, ils sont encore nombreux à pouvoir évoquer de vive voix les événements qui ont bouleversé leur vie. L'habileté, mais aussi le tact et le respect avec lesquels l'auteur met en scène leurs souvenirs, font tout le prix de son récit – aujourd'hui plus encore, alors que les derniers témoins du naufrage encore en vie se comptent sur les doigts d'une seule main[2].

---

1. Voir *La Catastrophe du Titanic. Enquête anglaise* (Paris, 1913) et *Titanic Disaster*, Committee on Commerce (Washington, 1912).
2. Parmi eux, Michel Navratil, né en 1908, l'un des deux garçonnets inscrits par leur père sous un faux nom. Il a évoqué la nuit tragique dans son livre *Navratil* (Éd. du Rouergue, 1996).

7

Avant lui, et après lui, bien d'autres ont écrit sur le *Titanic* sans toujours manifester le même souci de vérité. Le navire et ses mille cinq cents disparus sont entrés dans la légende dans les heures qui ont suivi la tragédie pour n'en plus réchapper, suscitant une invraisemblable avalanche de témoignages « arrangés » et de récits fantaisistes, avant de fournir la matière de quantité de romans, d'une dizaine de films, de plusieurs chansons, voire de comédies musicales.

La controverse sur les véritables causes du naufrage, ouverte à l'époque par les rescapés et les familles des victimes, est elle-même loin d'être close, si l'on en juge par la thèse défendue par Robin Gardiner et Dan Van der Vat, selon laquelle J. Pierpont Morgan, propriétaire de la White Star, se serait rendu coupable d'une colossale escroquerie à l'assurance en substituant au *Titanic* son *sistership* endommagé, l'*Olympic*, et en préméditant le naufrage[3].

Comment s'y retrouver? Comment distinguer l'affabulation du récit authentique, les souvenirs imaginaires des témoignages fiables, les analyses sensées des interprétations fumeuses? Une seule méthode: confronter le plus grand nombre possible de relations émanant de témoins dignes de foi, ne pas hésiter à consigner et recouper le moindre détail, faire à chaque instant la part de l'émotion qui brouille la mémoire et paralyse la réflexion. Telle est la démarche entreprise par Walter Lord. On prend mieux la mesure du travail accompli en se plongeant un instant dans la lecture des journaux de l'époque.

---

3. Robin Gardiner et Dan Van der Vat, *The Riddle of the Titanic* (Weidenfeld and Nicholson, Londres, 1995). Les deux journalistes n'apportent pas les preuves de leurs assertions.

18 avril 1912. Dans la soirée, le *Carpathia,* qui a recueilli les rescapés sur les lieux du drame, accoste à la pointe de l'île de Manhattan, au quai de la Battery, à New York. Malgré la pluie, une foule dense s'est rassemblée pour accueillir les 711 survivants. A l'instant où ils défilent sur la passerelle, l'ampleur du désastre, masquée jusqu'alors par les déclarations vagues et contradictoires des responsables de la White Star, apparaît aux yeux de tous.

Dès le lendemain, la presse livre les premiers reportages sur l'accident. Des bribes de témoignages sont recueillis auprès de ceux qui veulent bien parler. Les rescapés sont décrits comme « à moitié inconscients », « quasi hystériques », « hallucinés ». « Il y eut des crises de nerfs, raconte au *Sun* un passager. Des femmes furent piétinées. Les officiers durent faire usage de leurs armes pour dissuader certains passagers affolés de monter de force dans les embarcations de sauvetage. Des canots se renversèrent au cours de la descente. Leurs occupants furent précipités dans l'eau sombre et glacée. »

Au gré des scénarios, le comportement de certains passagers et des membres d'équipage est interprété de façon radicalement différente. On cherche à distinguer des héros, et on en trouve. On veut montrer des lâches; en cherchant un peu, on les découvre aussi – et on les nomme. La rumeur s'empare des faits et gestes des officiers Lightoller et Murdoch, de Bruce Ismay, le président de la White Star.

*Quid* du capitaine Smith? L'agence Reuter soutient qu'il s'est suicidé sur la passerelle. Un matelot affirme l'avoir aperçu un instant sur le radeau retourné et l'avoir entendu crier: « Courage, les gars, et que Dieu vous aide!… » D'autres l'ont vu nager vers un enfant et le hisser à bout de bras dans un canot. Selon d'autres encore, il aurait encouragé une dernière fois les naufragés en les exhortant à se montrer dignes du sens britannique de l'honneur (« *Be British !* ») avant de disparaître au fond de l'océan.

*Quid* de l'orchestre? Certains n'ont rien entendu, ni même vu les musiciens. Mais d'autres se souviennent avoir reconnu l'hymne *Autumn* alors que la poupe se dressait déjà au-dessus des flots. Ce n'est pourtant pas cette mélodie qui sera retenue dans la plupart des versions imprimées, mais celle du cantique *Plus près de toi, mon Dieu*. Le vraisemblable s'inclinera sans recours devant le mythe. « Une scène d'une tragique beauté se déroula sur cette épave qui lentement s'enfonçait, écrit *L'Illustration* : dans les salons, illuminés comme pour une fête, la musique du bord, sous la direction de son chef, M Wallace Hartley, continuait de jouer les flonflons à la mode. Puis, quand le *Titanic* commença à piquer de l'avant sous la vague, elle attaqua un hymne, *Plus près de toi, mon Dieu*, que les voix de ceux qui allaient mourir accompagnèrent. Les survivants, entassés dans les canots de sauvetage, entendaient au loin dans la nuit, où rayonnait toujours le navire illuminé, cette suprême invocation. » En France, la partition de *Plus près de toi, mon Dieu* se vendit, en 1912, à plus de 50 000 exemplaires. En Grande-Bretagne, la découverte, quelques jours après le naufrage, du corps de W. Hartley, le jeune chef d'orchestre, son rapatriement et son enterrement dans sa ville natale, à Colne, dans le Lancashire, soulevèrent une émotion populaire considérable.

Très tôt, l'irrationnel entre dans la partie. L'attention se concentre sur les signes prémonitoires qui désignaient dès l'origine le *Titanic* comme un navire maudit. La plupart des journaux mentionnent l'accostage qui faillit se produire, avant même l'appareillage, avec un vieux paquebot à quai, le *New York*, alors que le remous produit par les gigantesques hélices du *Titanic* venait de provoquer la rupture de ses amarres. Au dernier moment, le capitaine Smith avait donné l'ordre d'arrêter les machines. Le choc fut finalement évité. Mais les vieux marins n'en hochèrent pas moins la tête. Il y avait là un mauvais présage, d'autant que, contrairement à la tradition, les navires présents ne firent pas entendre leurs sirènes pour saluer le départ du *Titanic*...

Autre signe interprété *a posteriori* comme inquiétant : le *Titanic* quitte l'Europe à moitié vide, à un moment où la grève des mineurs anglais paralyse pourtant nombre de grandes unités transatlantiques. Situation due en réalité à la force d'une vieille superstition : beaucoup de passagers hésitent à embarquer sur un navire effectuant sa première traversée. A Southampton encore, un étrange climat aurait régné à bord. Nombre de stewards affichent des visages funèbres. Beaucoup viennent de l'*Olympic*, victime d'un abordage quelques mois plus tôt. Ils prétendent que les deux géants sont placés sous le signe de la mauvaise chance. Ils n'hésitent pas à les appeler « les bateaux de la mort »...

Au cours de la traversée, le dernier jour en particulier, bien des passagers éprouvent un malaise ranimé ou provoqué par la partition musicale des *Contes d'Hoffmann* jouée par l'orchestre. Pour ceux qui s'aventurent sur les ponts, la nuit glaciale, le ciel constellé d'étoiles et surtout la mer d'huile, sans une ride, contribuent encore à aggraver un sentiment d'oppression. Plusieurs passagers expliqueront n'avoir pas réussi, ce soir-là, à trouver le sommeil.

Comme le rappelle Walter Lord dans son avant-propos, à l'annonce du désastre, les journalistes ont aussitôt mentionné un court roman signé Morgan Robertson et intitulé *The Wreck of the Titan, or Futility* (« Le Naufrage du *Titan*, ou Futilité »). De fait, l'histoire du *Titan*, parue en 1898, ressemble à s'y méprendre à celle du *Titanic*. A ceci près, cependant, que, dans la fiction de Robertson, le *Titan* n'accomplit pas son voyage inaugural, mais sa troisième traversée, et qu'il navigue d'ouest en est. Plus troublant encore, dans son livre[4], Philippe Masson signale un article paru dans la *Review of Reviews* en décembre 1896 sous la plume de William Stead, lui-même disparu à bord du *Titanic*. Intitulé « Du Vieux monde au Nouveau Monde », ce texte met en scène un des plus beaux paquebots de la White Star avant le lancement de l'*Olympic* et du *Titanic*, le *Majestic*. Le commandant n'est autre que le capitaine Smith... Ce navire aussi disparaît après avoir heurté un iceberg.

Depuis avril 1912, la légende du *Titanic* n'a cessé de développer affabulations et fantasmes. S'ils n'ont pas réussi à empêcher la recherche de la vérité, ils sont loin de l'avoir favorisée. C'est un des mérites de Walter Lord d'avoir mené son enquête sans se laisser impressionner par l'aura de mystère qui entoure la fin du *Titanic*.

Dès l'annonce de la disparition du *Titanic*, architectes navals, armateurs et marins du monde entier se consultent. Une question est sur toutes les lèvres : que faire pour qu'un tel accident ne se reproduise jamais ?

---

4. Philippe Masson, *Titanic, le dossier du naufrage*, Tallandier, Paris, 1987.

Il convient d'abord de réunir les experts maritimes de toutes les nations, afin de chercher et trouver les solutions adéquates aux interrogations soulevées par le drame. La résolution est prise, dès mai 1912, de convoquer une convention internationale qui codifiera le sauvetage en mer.

Hélas! la concrétisation de cette décision tarde à aboutir. Pour donner à chacune des nations qui transportent des passagers en mer le temps d'accepter le principe d'un rassemblement, la conférence, qui se tiendra à Londres, n'est prévue que pour 1914.

1914, le début de la Première Guerre mondiale! Un congrès international devient impensable. Comment ne s'est-on pas méfié? Dès 1912, les relations internationales ont retenti des prémices d'un conflit, d'ailleurs latent, entre la France et l'Allemagne. La France convoite le Maroc avec l'accord des Anglais, qui se réservent l'Égypte, et l'Allemagne, en pleine expansion commerciale, a réagi. Guillaume II a visité Tanger, et une canonnière allemande, le *Panther*, a mouillé devant Agadir. A la conférence d'Algésiras, la France a calmé le jeu en concédant un territoire du Congo à sa menaçante voisine. Mais la tension n'est pas retombée. Quand la guerre éclate, aucune décision nouvelle n'a été prise concernant le sauvetage en mer.

Pourtant, la tragédie du *Titanic* n'est pas oubliée. Il est clairement établi que le nombre de canots de sauvetage à bord était loin de suffire au nombre de passagers et d'hommes d'équipage embarqués, en dépit des règlements. A la demande même de l'armateur, aucun exercice de sauvetage n'avait été organisé. N'était-il pas admis par tous que le *Titanic* était insubmersible?

La convention prévue pour 1914 ne se rassemble à Londres qu'en 1920. A l'issue de cette première réunion, il est décidé de conformer le nombre de places dans les canots de sauvetage au nombre de personnes à bord. Pourtant, un certain « déchet » reste prévu : puisque certains naufragés périront de toute façon sur-le-champ, pourquoi prévoir des espaces pour eux? Car les canots de sauvetage sont fort encombrants. Est donc prévue de la place pour un tiers des naufragés, les deux autres tiers étant censés périr sans délai!

La convention décide également de se réunir dix années plus tard, pour tirer de nouvelles conclusions suite à ces dispositions. Tenant ses assises en 1930, la C.I.S.M. (Convention internationale sur le sauvetage maritime) décide de porter le nombre de places sur les embarcations de sauvetage à 50 % du nombre des passagers à bord – une fois de plus, on suppose que les 50 % restant n'ont aucune chance de s'en sortir vivants.

La réunion suivante, prévue logiquement pour 1940, ne peut avoir lieu, du fait de la Seconde Guerre mondiale. C'est en 1950 qu'est donc organisée, à Londres, la troisième réunion de la C.I.S.M. Ce congrès s'ouvre sur une certitude : les progrès de la radio ont été tels durant la guerre que l'on est désormais certain, grâce à la radiogoniométrie, de récupérer rapidement les naufragés grâce aux « bip bip » de radios automatiques embarquées sur les canots. Hélas! le système connaîtra peu de réussite : les engins sont au ras, de l'eau, et les vagues, comme la houle, font cage de Faraday, empêchant la propagation des appels.

Par ailleurs, la proportion de 50 % de places disponibles à bord des canots de sauvetage reste de règle. Toutefois, un nombre égal de moyens de sauvetage est prévu grâce à des radeaux de liège à haute flottabilité, dits « engins à la nage », autour desquels une main courante doit permettre à dix ou vingt naufragés de s'accrocher, encore immergés, en vertu du principe d'Archimède selon lequel un homme à la mer ne pèse guère plus qu'un bouchon de liège! C'est oublier le phénomène de panique qui accompagne toujours un naufrage : les quatre ou cinq premières victimes monteront sur le radeau, empêchant les autres de s'y agripper!

D'autre part, jusqu'à 1950, les canots de sauvetage ne sont que de classiques baleinières. Il faut attendre 1960 pour que le radeau pneumatique commence à s'imposer. Jusque-là, il est tout simplement interdit. Malgré les milliers de combattants qui lui ont dû la vie au cours de la guerre du Pacifique, ils sont considérés comme trop peu résistants aux balles de mitrailleuses, selon les experts! Mais en 1952, mon expérience réussie de survie en mer sur un canot pneumatique change la donne[5]. Dès mon retour, en janvier 1953, bien que très critiqué par beaucoup de sceptiques, je suis reçu avec enthousiasme par l'Aéronautique navale de France et par la Royal Society en Grande-Bretagne.

En juin 1955, le Portugal, souhaitant profiter de mon expérience pour préparer la Convention de Londres prévue pour 1960, organise à Lisbonne une « préconférence de Londres ». De multiples décisions sont prises lors de cette réunion, dont l'une est

---

5. Alain Bombard, *Naufragé volontaire*, rééd. Phébus, 1996. Agé de vingt-sept ans, à bord d'un canot pneumatique de 4,60 m sur 1,90 m, Alain Bombard, sans eau ni vivres, avait dérivé seul de Las Palmas à La Barbade en 64 jours et 12 heures.

primordiale : à l'avenir, de la place devra être prévue pour la totalité des passagers à bord des canots de sauvetage.

A partir de 1960, les baleinières sont progressivement remplacées par des radeaux pneumatiques à gonflement semi-automatique. L'enjeu, désormais, n'est plus seulement la sauvegarde immédiate, mais la survie prolongée jusqu'au sauvetage par l'extérieur.

Lentement, nation après nation, on enregistre des progrès notables dans l'organisation des secours. Pourtant, de nouvelles tragédies seront encore nécessaires avant de parvenir à l'obligation internationale de remplacer les baleinières par des radeaux pneumatiques.

Ainsi, le 23 juillet 1952, un navire, lui aussi réputé insubmersible, est victime d'un naufrage sensationnel. Se présentant à quelques milles de l'entrée du port de New York, le paquebot ultramoderne *Andrea Doria* est éperonné par le paquebot suédois *Stockholm*. Ces deux vaisseaux sont pourtant équipés de radars ! Toutes les baleinières de l'*Andrea Doria* sont descendues à la mer. Toutes amérissent le ventre en l'air. Il suffit de visionner les actualités télévisées du lendemain ; si les naufragés du paquebot italien ont été sauvés, c'est grâce à un miracle : l'intervention du paquebot français *Île-de-France*, commandé par un admirable marin, le commandant Raoul de Baudéan. Sept cent cinquante-huit passagers du *Doria* doivent la vie à la présence du grand navire français et à ses embarcations de sauvetage. Combien seraient morts faute de place si quelques chalutiers seulement avaient été présents ? Quarante-quatre passagers du *Doria* disparaissent toutefois, et cinq du *Stockholm*. Ce ne sont pas les deux tiers prévus par la charte de 1920!

Les progrès ne permettent pas seulement de sauver immédiatement des vies; ils augmentent la durée de survie. En effet, les risques de noyade ont été réduits avec l'obligation de prévoir assez de places mesurées en centimètres carrés passagers à bord des embarcations de sauvetage. Trois dangers subsistent, contre lesquels il faut lutter pour rester en vie: si la noyade tue en quelques minutes, les intempéries (froid et chaud) frappent en quelques heures, la soif en quelques jours, la faim en quelques semaines. Pour combattre ces menaces de mort progressive, il convient donc d'équiper les canots de protections contre les intempéries et de prévoir trois jours de vivres par personne, pour sauvegarder le moral. Ces dispositions sont aujourd'hui appliquées, comme le prouve le rôle capital joué par les fameuses mallettes de survie lors du Vendée Globe 1997.

Mon but, en traversant l'Atlantique en 1952, était de vaincre la panique par l'exemple. Une femme, un homme pourvus d'un moral de fer peuvent surmonter ces trois jours d'épreuves et, grâce à leur exemple, sauver les autres naufragés. C'est aussi, toutes proportions gardées, la leçon des déportés de la Seconde Guerre mondiale. Et c'est la démonstration que j'ai voulu en faire.

Les naufragés survivent aujourd'hui grâce aux radeaux, aux combinaisons de survie, aux mallettes de vivres et de boisson (par production d'eau potable par dessalement de l'eau de mer), aux balises des satellites. Tous ces progrès résultent du spectre du naufrage de 1912. Si Dinelli, Dubois et Bullimore ont été sauvés par les Australiens lors du Vendée Globe 1997, c'est parce qu'ils ont reçu du ciel les radeaux pneumatiques de la C.I.S.M. Ainsi, leur courage sans faille a fait d'eux, en quelque sorte, les ultimes rescapés de la tragédie du *Titanic*, dont les victimes n'ont peut-être pas péri en vain.

Alain BOMBARD

# Avant-propos

*En 1898, un romancier besogneux, Morgan Robertson, imaginait un paquebot gigantesque, infiniment plus grand que tous ceux jamais construits jusque-là. Embarquait à bord tout un peuple de passagers riches et pacifiques, et, lors du premier voyage, le navire heurtait un iceberg et coulait par une froide nuit d'avril. L'objet du livre était en quelque sorte de montrer la vanité de toute chose; Robertson l'appela du reste* Futilité. *Les éditions M. G. Mansfield le publièrent la même année.*

*Quatorze ans plus tard, une compagnie de navigation anglaise, la White Star, construisait un navire qui ressemblait singulièrement à celui décrit par Robertson. Le nouveau paquebot avait un déplacement de 66 000 tonnes. Celui de Robertson, 70 000. Le vrai navire avait 269 mètres de long et l'autre 244. Tous les deux avaient trois hélices et filaient de 24 à 25 nœuds. Tous les deux pouvaient recevoir 3 000 personnes, équipage et passagers, et leurs canots de sauvetage respectifs étaient loin de pouvoir transporter tous ces gens. Mais personne n'y attachait d'importance car tous deux avaient été déclarés « insubmersibles ».*

*Le 10 avril 1912, le vrai navire quittait South-
ampton pour New York. C'était son premier voyage.
Avec à son bord un exemplaire unique des* Rùbayat
*d'Omar Khayyam. Ses passagers, ensemble, « va-
laient » dans les 250 millions de dollars. En route, il
heurta lui aussi un iceberg et coula par une nuit
glacée.*
*Robertson avait appelé son navire le* Titan. *La White
Star avait baptisé le sien* Titanic. *Voici l'histoire de
sa dernière nuit.*

# 1

Sur le *Titanic*, le nouveau paquebot de la White Star, Frederick Fleet était de veille dans le nid-de-pie. La nuit était claire, tranquille, silencieuse. Il faisait un froid piquant. Pas de lune, mais un ciel sans nuages, qui resplendissait d'étoiles. L'Atlantique, comme un miroir; plus tard, des témoins diront qu'ils ne l'avaient jamais vu si calme.

Le *Titanic* effectuait son premier voyage. C'était sa cinquième nuit en mer. Navire le plus grand du monde, il était aussi le plus beau. Tout était splendide à bord, jusqu'aux chiens des passagers. John Jacob Astor avait emmené avec lui son airedale Kitty, Henry Sleeper Harper – de la famille des éditeurs – son pékinois Sun Yat-sen. Robert W. Daniel, le banquier de Philadelphie, rapportait en Amérique un bouledogue français qu'il venait d'acheter en Angleterre. Clarence Moore, de Washington, s'était lui aussi intéressé aux chiens en Europe, mais les cinquante couples de chiens de chasse anglais qu'il avait achetés pour sa meute de Loudoun n'étaient pas du voyage.

Mais tout cela n'intéressait pas Frederick Fleet, l'une des six vigies du *Titanic*. Il n'avait rien à faire avec les passagers. Son rôle était d'y voir pour le navire, pas davantage. D'autant plus que, cette nuit-là, on lui avait recommandé de faire spécialement attention aux icebergs.

Jusqu'ici, pas de problème. Il avait pris son quart à 22 heures; il avait bavardé un moment avec Reginald Lee, une autre vigie de quart en même temps que lui; ils s'étaient dit quelques mots sur le froid qui sévissait; et c'était tout. Ils s'étaient tus, occupés à scruter la nuit.

Maintenant, leur quart était presque terminé. Et toujours rien à signaler. Seulement la nuit, les étoiles, le froid mordant, et le vent qui sifflait dans le gréement du navire lancé à 22,5 nœuds sur la mer calme et noire. Il était 23 h 30 passées; c'était un dimanche; le dimanche 14 avril 1912.

Soudain, Fleet aperçut un obstacle en avant du navire, quelque chose d'encore plus noir que la nuit.

Tout d'abord, ça avait l'air assez petit. « Un peu comme une caisse », se dit Fleet. Mais à chaque seconde ça devenait plus gros, de plus en plus gros, de plus en plus proche. Fleet sonna trois coups à la cloche pour avertir que quelque chose se profilait juste en face, puis appela la passerelle au téléphone.

–Qu'avez-vous vu? lui demanda une voix à l'autre bout du fil.

–Un iceberg, juste en face!

–Merci, lui répondit la voix d'un ton courtois et, lui sembla-t-il, étrangement indifférent.

Il raccrocha.

Pendant les trente-sept secondes qui suivirent, Fleet et Lee, debout l'un à côté de l'autre, demeurèrent immobiles, les yeux rivés sur l'iceberg qui se rapprochait toujours. Maintenant, ils étaient presque dessus, et le navire n'avait pas encore viré. La montagne de glace, brillante, parut dominer de très haut le gaillard d'avant. Les deux hommes s'accrochèrent au bastingage ; la collision était imminente. Mais tout d'un coup, miraculeusement, le vaisseau vira. Au dernier instant, l'étrave se dégagea et le navire laissa l'iceberg sur sa droite. La collision avait été évitée de justesse.

Sur la passerelle arrière, le quartier-maître Rowe, de quart, n'avait rien eu à signaler jusqu'alors, lui non plus – rien d'autre que la nuit, les étoiles et le froid piquant. La seule chose qu'il eût remarquée, c'était ce qu'on appelle « les moustaches des feux » – de minuscules aiguilles de glace en suspension dans l'air et qui forment un halo multicolore autour des lampes.

C'est alors que, couvrant le rythme régulier des machines, il sentit un soudain ébranlement. Un peu comme lorsqu'on accoste brutalement. Il se pencha par-dessus bord. Une forme semblable à un voilier passait sur la droite, toutes voiles dehors ; mais ce n'était pas un voilier. C'était un iceberg d'une trentaine de mètres de haut. Un instant plus tard, il était passé, avait disparu dans la nuit, à la dérive.

Au même moment, bien plus bas, dans la salle à manger de la première classe, sur le pont D, quatre membres de l'équipage étaient assis autour d'une table. Ils avaient assuré le dernier service depuis longtemps et se trouvaient seuls dans la grande salle de style XVIIe anglais. Tous serveurs, ils étaient naturellement en train de se raconter des histoires sur les passagers.

Subitement, ils crurent entendre un grincement assourdi venant d'en bas, bien en dessous d'eux. Ce n'était pas grand-chose, mais assez cependant pour interrompre leur conversation. Sur les tables, déjà mises pour le petit déjeuner du lendemain matin, la vaisselle tinta.

Pour James Johnson, il n'y avait pas de doute ; on venait de perdre une hélice. Tous savaient ce que cela signifiait : retour immédiat chez Harland et Wolff, à Belfast. C'est-à-dire une permission à terre. Le voisin de James Johnson s'écria, enchanté :

— Encore un tour à Belfast !

Tout à l'arrière, dans la cuisine, le chef boulanger de nuit Walter Belford, qui préparait sa pâte (l'honneur de faire la pâtisserie revenait au chef boulanger ce jour-là), fut bien plus impressionné : la secousse avait été assez forte pour faire dégringoler une casserole.

Dans leur cabine, plusieurs passagers ressentirent le choc, l'ébranlement, et l'interprétèrent à leur idée. Une jeune Suisse qui accompagnait son père en voyage d'affaires, Mlle Marguerite Frolicher, se réveilla en sursaut. Encore à demi endormie, pensant aux petits bateaux sur le lac de Zurich, elle se dit : « C'est drôle... On accoste ! »

Le major Arthur G. Peuchen était en train de se déshabiller. Il crut que le navire avait heurté une grosse vague. Assise sur le bord de son lit, Mme J. Stuart White tendait le bras pour éteindre la lumière ; pour elle, ce fut comme si le navire « roulait sur des galets ». Lady Cosmo Duff Gordon se réveilla, elle aussi ; elle expliqua plus tard, avoir ressenti une secousse comme si « un géant avait donné un coup de pouce au bateau ». Quant à Mme John Jacob Astor, elle crut qu'il était arrivé quelque chose dans la cuisine.

A certains, le choc parut violent. Mme A. Caldwell pensa à un gros chien en train de secouer un petit chat dans sa gueule. Mme Walter B. Stephenson se rappela la première grande secousse du tremblement de terre de San Francisco – mais non, ce n'était pas aussi fort. Mme E. D. Appleton ne sentit presque rien, mais elle entendit un bruit bizarre et désagréable, comme si on déchirait une longue pièce d'étoffe.

J. Bruce Ismay, le président de la White Star, qui avait tenu à accompagner le *Titanic* dans son voyage inaugural, se fit une idée plus juste de ce qui arrivait. Il disposait d'un appartement de luxe sur le pont B. Il se réveilla en sursaut : le navire venait de heurter quelque chose, il ne savait quoi.

Quelques passagers avaient déjà compris. Dans la cabine E 50, M. et Mme G. A. Harder – un tout jeune couple en pleine lune de miel – n'étaient pas encore endormis quand ils entendirent une sorte de « boum » sourd ; puis, le navire trembla, et « il y eut comme un grondement » le long de la coque. M. Harder sauta de son lit et courut au hublot. Il vit alors un mur de glace qui passait le long du bord.

La même expérience fut donnée à un acheteur de chez Gimbels, M. James B. McGough, de Philadelphie. Son hublot étant ouvert, de petits morceaux de glace tombèrent même dans sa cabine au passage de l'iceberg.

La plupart des passagers étaient couchés, tout comme McGough, au moment où le choc se produisit. On était dimanche, il faisait nuit et il faisait froid : où être mieux que bien au chaud, dans son lit ? Mais il y a toujours de ces personnes qui ne se résignent jamais à aller se coucher. Et c'était évidemment dans le fumoir, sur le pont A, qu'on pouvait les trouver.

Un petit groupe très mélangé : à une table, Archie Butt, conseiller militaire du président Taft ; Clarence Moore, fameux organisateur de chasses à courre ; Harry Widener, fils du magnat de l'automobile de

Philadelphie ; et William Carter, autre célébrité de Philadelphie. Le père de Widener avait offert un dîner en l'honneur du capitaine Edward J. Smith qui les avait quittés de bonne heure. On avait renvoyé les dames dans leur cabine, et les hommes étaient allés fumer tranquillement un dernier cigare avant d'aller se coucher à leur tour. Ils avaient parlé un bon moment de politique, et en étaient venus au récit des aventures de Clarence Moore en Virginie-Occidentale.

Près d'eux, enfoncé dans un grand fauteuil en cuir, Spencer V. Silverthorne, un jeune acheteur des grands magasins Nugent de Saint Louis, parcourait un nouveau best-seller, *The Virginian*. Lucien P. Smith, de Philadelphie lui aussi, disputait – ou plutôt essayait de disputer – un bridge avec trois Français qui ne parlaient pas un mot d'anglais.

A une autre table, des jeunes gens, beaucoup plus bruyants, jouaient également au bridge. Leur quartier général était d'habitude le Café Parisien, où, d'ailleurs, ils avaient commencé la soirée. Mais, à 22 h 30, il faisait si froid que leurs compagnes étaient rentrées se coucher ; eux, ils étaient montés au fumoir prendre un dernier verre. Ils avaient tous commandé des whiskys et des sodas, sauf Hugh Woolner, le fils du sculpteur anglais, qui avait préféré un grog, et Bjornstrom Steffanson, attaché militaire suédois qui regagnait son poste à Washington ; il buvait un citron pressé chaud.

Quelqu'un avait sorti un jeu de cartes. Chacun était en train de jouer et de raconter des plaisanteries lorsqu'on avait entendu ce grincement, assez faible, mais suffisamment impressionnant tout de même pour que M. Silverthorne bondît encore, bien des années après, en évoquant ce souvenir.

En un instant, le garçon de fumoir et M. Silverthorne

étaient debout, ils sortaient, traversaient la serre et arrivaient sur le pont juste à temps pour voir un iceberg passer sur la droite, un tout petit peu plus haut que le pont des embarcations. Ils entendirent des morceaux de glace tomber dans l'eau. Mais déjà la montagne s'était évanouie dans la nuit.

Les autres sortirent du fumoir à leur tour. En arrivant sur le pont, Hugh Woolner entendit quelqu'un crier:

–On a heurté un iceberg!

Woolner fouilla l'obscurité; à 150 mètres en arrière, il distingua une forme gigantesque qui se profilait contre le ciel étoilé et qu'il perdit presque aussitôt de vue.

L'excitation tomba rapidement. Le *Titanic* avait l'air plus solide que jamais, et il faisait vraiment trop froid pour rester dehors plus longtemps. Ils rentrèrent dans le fumoir, Woolner reprit ses cartes et le jeu continua. Le dernier à rentrer ferma la porte derrière lui; à cet instant, il eut l'impression que les machines s'arrêtaient.

Il avait raison. Sur la passerelle, le premier officier, William M. Murdoch, de quart, venait de donner l'ordre de stopper les machines. Après le coup de téléphone de Fleet, il avait donné l'ordre au timonier de virer à droite toute et aux machines de faire marche arrière à grande vitesse; il avait alors appuyé sur le bouton commandant la fermeture des portes étanches; puis s'écoulèrent trente-sept interminables secondes d'attente.

Et maintenant, c'était fini; la partie était jouée. Le silence était à peine revenu que le capitaine sortait en courant de sa cabine.

–Murdoch, qu'est-ce que c'était?

–Un iceberg. J'ai fait virer à droite toute et inverser

27

les machines pour virer à gauche toute aussitôt après, mais l'iceberg était trop près. Je n'ai rien pu faire de plus.

—Fermez les compartiments étanches.

—C'est fait.

De fait, les portes étaient bien fermées. En bas, à la chaufferie n° 6, le chauffeur Fred Barrett était en train de parler à l'assistant du deuxième officier mécanicien, John Hesketh, quand la sonnerie d'alarme s'était déclenchée; la lumière rouge au-dessus de la porte étanche qui conduisait vers l'arrière s'était allumée. Un cri d'alerte, un craquement épouvantable, et c'était comme si tout le côté droit du navire était enfoncé. La mer s'engouffrait au milieu des tuyaux. Les deux hommes bondirent sur la porte qui se ferma juste derrière eux.

A la chaufferie n° 5, ils trouvèrent la situation à peu près aussi mauvaise. La déchirure de la coque dépassait la cloison étanche de soixante centimètres à peu près, et la mer rentrait à toute force en bouillonnant par l'ouverture. Le soutier George Cavell était en train d'essayer de se dégager d'une montagne de charbon qui lui était tombée dessus au moment du choc. Un autre chauffeur regardait tristement une gamelle de soupe renversée.

Il n'y avait pas d'eau dans les autres chaufferies, vers l'arrière, mais la scène était à peu près identique: des hommes qui se relevaient, qui s'interpellaient en se demandant ce qui était arrivé. Car c'était inimaginable. Jusqu'alors, tout s'était déroulé comme dans un rêve: tout était neuf et propre à bord du *Titanic*. Et, comme l'a dit ensuite le chauffeur George Kemish: « C'était un beau travail. Pas comme sur les vieux bateaux, où on se crevait au boulot et où on rôtissait vif! » Tout ce que les chauffeurs avaient à faire, c'était alimenter les feux. Pas de ringards, pas de rouables, rien. Ce dimanche soir-là, ils se la coulaient douce, assis sur des seaux, sous les ventilateurs, à attendre que le quart de 12 à 4 vînt prendre son tour.

Et puis ce choc était survenu, ce bruit de déchirement, les transmetteurs d'ordres affolés, les portes qui se fermaient tout d'un coup. Personne n'y comprenait rien – le bruit courut que l'on venait de s'échouer sur les bancs de Terre-Neuve. Plusieurs continuèrent à le croire, même après qu'un soutier eut crié d'en haut :

–Bon Dieu! On a percuté un iceberg!

A quelque dix milles de là, Charles Victor Groves, le troisième officier du *Californian,* un cargo mixte de la Leyland, était de quart sur la passerelle. Le vieux navire de 6 000 tonnes avait quitté Londres pour Boston sans aucun passager; à 22 h 30 ce soir-là, il s'était arrêté, complètement bloqué par les glaces flottantes.

Vers 22 h 10, Groves aperçut les feux d'un autre navire venant de l'est à toute vitesse. Quand il dépassa le *Californian* immobile, Groves vit que c'était un paquebot. Il en avertit le capitaine Stanley Lord, qui lui demanda d'essayer d'établir le contact au moyen de la lampe Morse.

Groves allait s'exécuter quand il vit le grand navire s'arrêter et éteindre presque toutes ses lumières. Il n'en fut pas étonné : il avait navigué plusieurs années en Extrême-Orient, où l'usage voulait que, sur les paquebots, on éteignît l'éclairage des ponts à minuit pour inviter les passagers à aller se coucher. L'idée que les lumières étaient peut-être encore allumées, mais qu'il ne pouvait plus les voir parce que le navire ne se présentait plus par le travers et avait viré brutalement, ne lui effleura pas une seconde l'esprit.

## 2

Presque comme si rien n'était arrivé, Fleet poursuivit son quart, Mme Astor se recoucha et le lieutenant Steffanson reprit son citron pressé chaud.

En deuxième classe, les joueurs de cartes ne s'interrompirent même pas. En principe, tout jeu de cartes était interdit sur les navires de la White Star le dimanche ; exceptionnellement ce soir-là, le chef steward s'était montré d'une tolérance dont tout le monde voulait profiter.

Dans le salon de lecture de la deuxième classe, il n'y avait personne. Le bibliothécaire continuait tranquillement à faire ses comptes.

Dans les longs couloirs peints en blanc, on n'entendait que le murmure tranquille des passagers dans leurs cabines, une porte d'office qu'on fermait, par moments un bruit de pas, de hauts talons ; bref, tous les bruits normaux que l'on entend, la nuit, à bord d'un paquebot.

Tout avait l'air parfaitement normal, et pourtant...

Dans une cabine du pont B, le jeune Jack Thayer, dix-sept ans, venait de dire bonsoir à ses parents, M. et Mme John B. Thayer, de Philadelphie. M. Thayer était le second vice-président de la Pennsylvania Railroad. Jack était en train d'enfiler sa culotte de pyjama en écoutant distraitement le bruit du vent par son hublot à moitié ouvert. Et ce bruit s'éteignit.

Plus bas, M. et Mme Henry B. Harris jouaient aux cartes dans leur cabine. M. Harris, producteur à Broadway, avait terriblement sommeil, et c'est à peine si les deux époux échangeaient quelques mots en jouant. Mme Harris regardait ses robes qui se balançaient doucement, accrochées aux portemanteaux. Tout d'un coup, les robes s'immobilisèrent.

Encore plus bas, un jeune professeur de Dulwich College, Lawrence Beesley, était allongé sur son lit. Il était en train de lire, bercé par le balancement régulier du navire. Brusquement, plus rien.

Les craquements des boiseries, le martèlement de la machine, tous les bruits familiers s'interrompirent brusquement. Le *Titanic* était sur son erre. Bien plus que la secousse de tout à l'heure, ce fut le brusque silence qui inquiéta les passagers.

Les gens appelèrent leur garçon de cabine, qui n'en savait pas davantage.

– Pourquoi nous arrêtons-nous ? demanda Lawrence Beesley à un garçon.

– Je ne sais pas, monsieur. Ce n'est rien de sérieux.

Il ne fut pas le seul à recevoir cette réponse.

Mme Arthur Ryerson – des aciéries – eut cependant un peu plus de chance.

– On parle d'un iceberg, madame, lui dit son garçon de cabine, Bishop. Nous avons stoppé pour l'éviter.

Mme Ryerson regarda sa bonne, Victorine, qui mettait de l'ordre dans la cabine, en se demandant quoi faire.

M. Ryerson dormait à poings fermés pour la première fois depuis le départ, et elle hésitait à le réveiller. Elle alla regarder par le grand hublot carré qui donnait directement sur la mer, et ne vit qu'une nuit splendide, une mer absolument calme. Elle décida de le laisser dormir.

D'autres ne purent se contenter de si peu. Avec l'insatiable curiosité des passagers d'un paquebot en mer, ils partirent aux renseignements.

C'est ainsi que, dans sa cabine, la C 51, le colonel Archibald Gracie, historien militaire amateur, revêtit méthodiquement ses sous-vêtements, ses chaussettes de laine, son pantalon, ses souliers, sa veste, et monta sur le pont des embarcations.

Jack Thayer, lui, se contenta de passer un manteau sur son pyjama et dit à ses parents, en sortant, qu'il allait « voir ce qui se passe ».

Mais il n'y avait rien de bien spectaculaire à voir sur le pont ; rien de bien inquiétant non plus. Tous les curieux se retrouvèrent ensemble sans savoir trop quoi faire. Quelques-uns d'entre eux se penchèrent par-dessus le bastingage, sans trouver rien d'autre que la nuit noire. Le *Titanic* était absolument immobile et silencieux. Trois cheminées sur quatre envoyaient vers les étoiles un énorme jet de vapeur. Tout était tranquille. A l'arrière du pont des embarcations, un vieux couple se promenait en se donnant le bras, indifférent au bruit de la vapeur et aux petits groupes de passagers qui tournaient en rond.

Il faisait si froid, et il y avait si peu à voir, que presque tous rentrèrent dans leur cabine. En traversant le foyer de première classe, ils rencontrèrent quelques autres personnes qui s'étaient levées, elles aussi, mais qui avaient préféré rester là où il faisait plus chaud.

Curieux spectacle que tous ces gens réunis, certains en robe de chambre, d'autres en vêtement de soirée, d'autres en manteau de fourrure, d'autres encore en chandail à col roulé. Le décor ne paraissait pas moins incongru, lui aussi : l'immense verrière, les solennelles boiseries de chêne, les rampes en fer forgé, et, dominant tout le monde, une incroyable horloge entourée de deux nymphes de bronze, *L'Honneur et la Gloire couronnant le Temps*.

– Oh ! c'est l'affaire de quelques heures. Nous repartirons tout de suite après, déclara un garçon à M. George Harder.

– Il paraît qu'on a perdu une hélice. Bah ! ainsi, nous pourrons jouer au bridge un peu plus longtemps ! lança M. Howard Case, le directeur de la Vacuum Oil à Londres, à Fred Seward, un avocat new-yorkais.

Peut-être M. Case tenait-il l'information du steward Johnson, qui pensait toujours à Belfast. De fait, les passagers commençaient à être un peu mieux renseignés.

– Qu'est-ce que tu en penses ? demanda Harvey Collyer à sa femme en rentrant dans sa cabine. Nous avons heurté un iceberg, un gros, mais il n'y a aucun danger. C'est un officier qui me l'a dit !

Les Collyer, des passagers de deuxième classe, étaient en route pour les États-Unis, où ils venaient d'acheter une ferme dans l'Idaho. C'était la première fois qu'ils traversaient l'Atlantique. Mme Collyer se serait certainement beaucoup plus inquiétée en temps normal, mais, ce soir-là, le dîner lui avait paru très lourd. Elle se contenta de demander à son mari si les gens avaient l'air d'avoir peur, et quand elle s'entendit répondre que non, elle se rallongea sur son lit.

M. John Jacob Astor, de retour dans son appartement après être sorti aux nouvelles, était lui aussi très calme. Il se contenta d'expliquer à sa femme qu'ils avaient heurté un iceberg, mais que ça n'avait pas l'air bien grave. Mme Astor ne ressentit aucune inquiétude ; son mari avait l'air si tranquille.

– Qu'est-ce qui se passe ? Qu'est-ce qu'on dit ? demanda William T. Stead en faisant son apparition sur le pont.

C'était un Anglais, spiritualiste, réformateur, évangéliste, éditeur, individualiste forcené ; on aurait dit qu'il avait fait exprès d'arriver le dernier.

– Des icebergs, lui répondit Frank Millet, peintre américain.

– Oh ! dit Stead en haussant les épaules, c'est tout ? Je retourne lire dans ma cabine.

M. et Mme Dickinson Bishop, de Dowagiac, Michigan, eurent la même réaction après qu'un garçon de cabine leur eut dit : « Nous avons heurté un peu de glace, rien de plus », ils redescendirent dans leur cabine de luxe et se recouchèrent. M. Bishop avait à peine ouvert un livre qu'on frappa à sa porte. C'était M. Albert A. Stewart, un vieux monsieur toujours débordant d'activité, l'un des propriétaires du cirque Barnum et Bailey.

– Venez donc vous amuser, vous aussi ! lui dit-il.

D'autres avaient eu la même idée : M. Peter Daly, un passager de première classe, entendit une jeune femme qui disait à une autre :

– Oh ! venez avec moi voir l'iceberg ! C'est le premier !

Dans le fumoir de deuxième classe, on entendit quelqu'un demander en riant s'il pouvait avoir un morceau de l'iceberg pour mettre dans son whisky-soda. Il ne croyait pas si bien dire : un bloc de glace de plusieurs tonnes était tombé sur l'avant du paquebot, juste devant le mât de misaine. C'était un endroit réservé aux passagers de troisième classe, qui eurent vite fait de découvrir la glace. De la fenêtre de sa cabine, Mme Natalie Wick en vit qui s'amusaient à se lancer des glaçons à la façon de boules de neige.

L'endroit était devenu une véritable attraction. Le major Arthur Godfrey Peuchen, propriétaire d'une affaire de produits chimiques à Toronto, en profita pour engager la conversation avec un de ses compatriotes, Charles M. Hays, président de la Grand Trunk Railroad.

– M. Hays ! s'écria-t-il. Avez-vous vu la glace ? Si vous voulez, je vous emmène sur le pont pour la voir.

Ils se rendirent jusqu'à l'avant et, du pont A, regardèrent les gens qui, plus bas, s'amusaient bruyamment.

Les passagers de troisième classe ne gardèrent pas longtemps le monopole de la glace. Dans le foyer de première classe, le colonel Gracie sentit quelqu'un lui taper sur l'épaule. Il se retourna. C'était Clinch Smith, une curieuse personnalité new-yorkaise, qui lui demanda :

– Voulez-vous un souvenir ?

Il ouvrit sa main et lui tendit un glaçon tout plat.

Un matelot, John Poingdestre, ramassa un éclat de glace pour aller le montrer à ses camarades dans le carré de l'équipage. Un passager de troisième classe offrit au quatrième officier Boxhall un morceau gros comme les deux poings. Le graisseur Walter Hurst était allongé, à moitié endormi, quand son beau-père entra brusquement et lança un glaçon dans sa couchette. Un homme fit irruption dans le logement des garçons de cabine et dit à F. Dent Ray, en lui montrant un morceau de glace grand comme la main :

– Il y a des tonnes de glace à l'avant !

– Si ce n'est que ça, dit Ray en bâillant, ce n'est guère inquiétant.

Et il se retourna.

Un peu plus curieux, le garçon de cabine Henry Samuel Etches, qui n'était pas de service au moment de la collision, empruntant une coursive sur le pont E pour aller voir ce qui se passait à l'avant, heurta un passager de troisième classe qui venait en sens inverse. Avant qu'Etches eût pu dire quoi que ce soit, l'homme jetait un morceau de glace par terre et s'écriait, comme pour mettre un point final à une discussion qu'ils auraient eue :

– Eh bien ! voulez-vous me croire, maintenant ?

Peu après, on commença à se rendre compte que quelque chose d'anormal se passait. A 23 h 50, c'est-à-dire dix minutes à peine après la collision, d'étranges événements survinrent dans les six compartiments avant.

Allongé sur sa couchette, le lampiste Samuel Hemming entendit un curieux sifflement qui venait du peak avant, le compartiment le plus avancé de tous. Il se leva et sortit voir : le sifflement provenait de la soute aux chaînes. C'était l'air qui s'échappait avec une violence incroyable, chassé par l'eau qui pénétrait en bas à toute vitesse.

Dans le compartiment suivant, qui comprenait les logements des chauffeurs et la soute n° 1, le chef chauffeur Charles Hendrickson entendit lui aussi un bruit curieux. Ce n'était plus de l'air, cette fois, mais de l'eau. Du haut de l'escalier à vis – qui descendait à la coursive menant des logements des chauffeurs la chaufferie n° 6 –, à travers les barreaux des marches, il vit le vert sombre de l'eau de mer qui tourbillonnait en bas.

Ce que Carl Johnson, passager de troisième classe, vit dans le troisième compartiment était encore plus inquiétant. Sa cabine, parmi les moins luxueuses du navire, était située presque au niveau de l'eau, très en avant. Johnson s'assit sur son lit. Il s'apprêtait à sortir pour aller voir d'où venait ce choc qu'il venait de ressentir. En allumant la lumière, il se rendit compte que de l'eau passait sous sa porte. Le temps de s'habiller, il en avait jusqu'aux chevilles. D'une manière détachée, presque indifférente, il remarqua qu'elle semblait avoir la même profondeur sur tout le plancher, et que le navire était donc parfaitement horizontal.

Dans une cabine voisine, un autre passager, Daniel Buckley, mit un peu plus de temps à se lever ; lorsqu'il se décida enfin, il y avait déjà plusieurs centimètres d'eau sur le plancher.

Les cinq postiers qui travaillaient dans le quatrième compartiment furent bien plus mouillés encore. Les bureaux de poste du *Titanic* étaient étagés sur deux ponts : le courrier était entreposé sur le faux-pont et était trié juste au-dessus, sur le pont G. Les deux étages communiquaient par un très large escalier qui conduisait ensuite au pont F et aux ponts supérieurs. Quand ils virent l'eau pénétrer en bas, les postiers entreprirent de monter les deux cents sacs de courrier à la salle de tri ; ils auraient pu s'épargner ce travail car, au bout de cinq minutes, ils avaient de l'eau jusqu'aux genoux ; bientôt, l'eau atteignait la salle de tri. Du coup, les postiers abandonnèrent les sacs et grimpèrent plus haut, sur le pont F.

En haut de l'escalier, ils trouvèrent un couple qui était en train de les regarder. C'était M. et Mme Norman Campbell Chambers, de New York, qui avaient été attirés par le bruit alors qu'ils retournaient dans leur cabine après avoir été aux nouvelles, sans résultat du reste, sur le pont-promenade. Ils restèrent là tous ensemble un bon moment, à regarder les sacs qui flottaient sur l'eau, à faire des plaisanteries sur tout ce que pouvaient contenir ces lettres que personne ne lirait jamais.

D'autres personnes se joignirent en passant à leur petit groupe : le quatrième officier Boxhall, l'assistant du deuxième steward Wheat, et même le capitaine Smith pendant un instant. Mais à aucun moment le spectacle de l'inondation n'inquiéta les Chambers.

Le cinquième compartiment contenait la chaufferie n° 6. C'est là qu'immédiatement après la collision Barrett et Hesketh avaient réussi à franchir la porte étanche juste avant qu'elle ne se ferme. Certains, qui n'avaient pas été aussi rapides qu'eux, commencèrent à grimper aux échelles de secours, mais la plupart redescendirent au bout d'un moment.

On cria d'en haut : « Fermez les registres ! » et « Éteignez les feux ! » Le chauffeur George Beauchamp travaillait fiévreusement, malgré l'eau qui passait par la porte de la soute à charbon et entre les tôles du parquet. Il en eut bientôt jusqu'à la taille. Il était noir de charbon, couvert de graisse. L'air était étouffant, lourd de vapeur. Beauchamp ne sut jamais qui lui cria : « Ça ira comme ça ! » Et ça lui était bien égal, il était trop heureux de pouvoir courir à l'échelle.

Tout près, de l'autre côté de la cloison étanche, dans la chaufferie n° 5, Hesketh faisait tout ce qu'il pouvait pour remettre tout en ordre. La mer s'engouffrait toujours par la déchirure de 60 centimètres, près de la cloison. Il mit des pompes en batterie avec l'aide des assistants Harvey et Wilson ; on allait s'en sortir !

Pendant quelques instants, les soutiers regardèrent les mécaniciens travailler, sans savoir trop quoi faire eux-mêmes ; la chambre des machines téléphona d'envoyer les soutiers et les chauffeurs sur le pont des embarcations. Ils grimpèrent à l'échelle ; ils n'étaient pas encore en haut que la passerelle leur ordonnait de redescendre. Ils se bousculèrent un moment sur la coursive du pont E, pris dans l'engrenage bureaucratique de l'immense navire.

Et puis les lumières s'éteignirent dans la chaufferie n° 5. Harvey ordonna au chauffeur Barrett, qui n'avait pas suivi les autres, d'aller chercher des lanternes dans la chambre des machines.

Les portes étant fermées, Barrett dut monter jusqu'en haut de l'échelle pour redescendre à l'autre bout de la coursive, et recommencer, mais la lumière était déjà rétablie avant qu'il ne fût revenu à la chaufferie, et les lanternes ne servirent à rien.

Harvey demanda alors à Barrett d'éteindre les chaudières ; maintenant que les machines étaient arrêtées, la pression était telle que la vapeur s'échappait en sifflant par tous les joints et par les soupapes de sûreté. Barrett remonta encore une fois à l'échelle et ramena avec lui une quinzaine de soutiers qu'il trouva sur le pont. Tous se mirent au travail, et ce fut un travail épuisant. Le chauffeur Kemish s'en souvint par la suite en frémissant : « On a vraiment passé un sale moment à éteindre ces foutus feux... »

De la vapeur brûlante fusait de partout dans la chaufferie ; les hommes étaient trempés de sueur.

Enfin, l'ordre finit par revenir : toutes les lampes étaient allumées, l'eau ne montait plus et, dans la chaufferie n° 5, on avait la situation bien en main. Aucune trace d'affolement ; tout le monde avait confiance. Le bruit courut que les hommes du quart de 12 à 4 étaient en train de grimper leurs lits et leurs affaires sur les ponts supérieurs parce que leurs cabines étaient inondées. Dans la chaufferie, ce fut un grand éclat de rire : quelle blague gigantesque !

Sur la passerelle, le capitaine Smith essayait de faire le point. Qui était mieux désigné que lui pour cela ? Il naviguait pour la White Star depuis trente-huit ans. Ce n'était plus un ancien, c'était un patriarche. Tout le monde l'appréciait, les passagers comme l'équipage. Il savait être à la fois ferme et courtois. C'était un chef né.

Aussitôt après l'accident, il sortit de la timonerie et se rendit à l'extrémité droite de la passerelle pour voir si l'iceberg était encore en vue. Le premier officier Murdoch et le quatrième officier Boxhall le suivirent ; ils restèrent tous les trois immobiles un instant, cherchant à percer la nuit. Boxhall crut distinguer quelque chose à l'arrière, sans en être tout à fait sûr.

Ensuite, Smith envoya Boxhall faire une rapide inspection du navire. Le quatrième officier revint au bout de quelques minutes : il était allé aussi loin que possible vers l'avant, mais il n'avait rien vu d'extraordinaire. Ce furent les dernières bonnes nouvelles que reçut le capitaine Smith.

Inquiet, Smith demanda toutefois à Boxhall :

— Descendez dire au charpentier de sonder la coque.

Boxhall n'avait pas encore descendu l'escalier qu'il heurta le charpentier Hutchinson qui grimpait quatre à quatre. Sans s'arrêter, celui-ci lui lança :

– Il y a une grosse voie d'eau !

Derrière suivait le postier Iago Smith, qui, croisant Boxhall, lui jeta au passage :

– La poste est presque entièrement sous l'eau !

Puis passa Bruce Ismay, le président de la compagnie. Il avait enfilé un pantalon et une veste sur son pyjama et, en pantoufles, venait aux nouvelles. Le capitaine Smith le mit immédiatement au courant. Ismay demanda :

– Croyez-vous que le navire soit sérieusement endommagé ?

Smith se tut un instant, puis répondit lentement :

– J'en ai peur.

Le doute ne serait bientôt plus permis. Smith avait fait appeler Thomas Andrews, le directeur des chantiers Harland et Wolff, qui, en tant que constructeur du navire, faisait le voyage inaugural pour corriger tous les défauts susceptibles d'apparaître pendant la traversée. Si quelqu'un pouvait se rendre compte de la gravité de la situation, c'était bien lui.

Personnage étonnant que ce Thomas Andrews ! Il connaissait le *Titanic* dans ses moindres détails, et aucun ne lui était indifférent. Il aurait pu prévoir comment le navire allait réagir dans telle ou telle situation. En somme, il comprenait les navires comme certains hommes comprennent les chevaux, et il comprenait tout aussi bien les hommes qui travaillent sur les navires. Tout le monde venait le trouver pour évoquer ses problèmes. Un soir, le premier officier Murdoch venait lui raconter ses ennuis avec le second Wilde ; le soir suivant, deux serveuses s'en remettaient à lui comme à une sorte d'arbitre suprême.

Jusqu'ici, son voyage s'était passé tout à fait normalement. Le jour, il parcourait le navire de long en large en prenant des montagnes de notes. A 18 h 45, il s'habillait pour le souper, qu'il prenait d'ordinaire avec le vieux docteur O'Loughlin, le chirurgien du bord, qui était lui aussi dans les confidences des serveuses. Après, il retournait dans sa cabine, la A 36, qui débordait de bleus, de plans, de dossiers, et il mettait en ordre ses notes de la journée pour préparer ses recommandations.

Les problèmes qu'il avait à résoudre ce soir-là ressemblaient à ceux de tous les jours – des ennuis dans la cuisine, les panneaux décoratifs des ponts-promenades privés qui avaient été teints trop foncés, trop de vis pour les patères des porte-chapeaux, etc. Il y avait aussi ce projet d'ajouter deux cabines supplémentaires, avec une pièce prévue à l'origine pour que les dames puissent s'y reposer après le souper. Mais en ce début de xx$^e$ siècle, les dames n'avaient pas plus envie de se reposer que de s'isoler.

Absorbé par son travail, Andrews n'avait pas remarqué la secousse au moment de la collision. Il fallut le message du capitaine, qui réclamait sa présence sur la passerelle, pour l'arracher à ses papiers.

Quelques minutes plus tard, il était en train d'inspecter le navire avec Smith. Ils tentèrent d'éviter les endroits réservés aux passagers pour ne pas attirer l'attention, mais, pour rejoindre la passerelle, ils durent passer sur le pont A et traverser le foyer encore très animé. Tout le monde les regarda, mais ils ne laissèrent rien voir de ce qu'ils pensaient ou disaient.

Tous ne furent pas aussi discrets que Smith et Andrews. A Mme Henry Sleeper Harper, qui lui demandait de convaincre son mari de rester couché, le vieux docteur O'Loughlin répondit :

– Il paraît que les bagages sont en train de flotter dans la soute. Vous feriez mieux de monter sur le pont.

Dans la cabine C 51, Elizabeth Shutes, la jeune gouvernante de Margaret Graham, demanda à un officier qui passait devant la porte de leur cabine s'il y avait un danger quelconque. L'officier répondit que non, mais elle l'entendit ajouter peu après : « Pas encore, en tout cas... » En entendant ces derniers mots, Margaret, qui grignotait un sandwich au poulet, se mit à trembler si fort que son sandwich lui tomba des mains.

Personne ne posait de questions sur la grande coursive du pont E – le chemin le plus rapide pour se rendre d'un bout du navire à l'autre (les officiers l'appelaient « Park Lane », et l'équipage « Scotland Road »). Elle était complètement embouteillée par des soutiers chassés de la chaufferie n° 6, et surtout par les passagers de troisième classe qui essayaient de se frayer un chemin vers l'arrière, emportant avec eux des sacs, des paquets, des valises et même des malles.

A ceux-là, il n'était nul besoin d'apprendre s'il y avait danger ou non. Pour eux, dont les cabines étaient très basses sur l'eau, la collision n'avait pas été un « boum » assourdi, mais un bruit épouvantable qui les avait fait sauter à bas de leurs couchettes.

Aussitôt après le choc, Mme Celiney Yasbeck, mariée depuis deux mois à peine, s'élança dans le couloir avec son mari. Au lieu de monter sur le pont, ils allèrent directement voir en bas ce qui se passait. Entrouvrant la porte de la chaufferie, ils aperçurent les mécaniciens qui travaillaient fiévreusement aux pompes. Ils n'eurent pas besoin d'en voir plus et se précipitèrent dans leur cabine pour s'habiller.

Beaucoup plus haut, sur le pont A, Lawrence Beesley remarqua un fait curieux : au moment de redescendre dans sa cabine, il eut l'impression que l'escalier « n'était pas d'aplomb ». Les marches étaient bien plates, mais elles n'étaient pas à l'horizontale. Comme si elles penchaient vers l'avant... Le major Peuchen le remarqua lui aussi. Il était toujours à l'avant avec M. Hays à regarder les gens qui jouaient avec les glaçons, quand il sentit une très légère secousse.

– Mais nous penchons ! s'écria-t-il. Ce n'est pas normal ! La mer est parfaitement calme et les machines sont arrêtées !

– Je ne sais pas, répondit M. Hays sans avoir l'air d'y attacher plus d'importance. Le *Titanic* ne peut pas couler.

D'autres personnes se rendirent compte du même phénomène, mais chacun évita d'en parler, comme si c'était de mauvais goût. Dans la chaufferie n° 5, Barrett décida de ne rien dire aux mécaniciens qui travaillaient aux pompes. Dans le foyer, sur le pont A, le colonel Gracie et James Clinch Smith eurent la même réaction.

Sur la passerelle, l'indicateur montrait que le *Titanic* était légèrement incliné sur l'avant et qu'il penchait de 5° sur la droite.

Tout près, Andrews et le capitaine Smith tenaient un rapide conseil de guerre : de l'eau dans le peak avant, dans la soute n° 1, dans la soute n° 2, dans la poste, dans la chaufferie n° 6, dans la chaufferie n° 5. 4,25 mètres d'eau dans les cinq premiers compartiments au bout de dix minutes. Une ouverture de

100 mètres de long dans la coque et les cinq premiers compartiments définitivement perdus.

Quelle conclusion en tirer ? Andrews l'expliqua calmement : le *Titanic* pouvait flotter avec deux compartiments noyés, n'importe lesquels ; ou trois des cinq premiers ; ou même avec les quatre premiers. Mais en aucune façon, il ne pouvait rester sur l'eau avec les cinq premiers compartiments noyés. La cloison étanche entre le cinquième et le sixième compartiment ne montait pas plus haut que le pont E. Si les cinq premiers compartiments étaient noyés, l'avant s'enfoncerait si bas que l'eau dans le cinquième compartiment déborderait dans le sixième. Et quand le sixième serait plein, elle passerait dans le septième, et ainsi de suite. C'était simple, mathématique. Il n'y avait rien à ajouter.

Mais c'était un choc tout de même : après tout, on avait déclaré mille et mille fois que le *Titanic* ne pouvait pas couler. Et pas seulement dans les prospectus publicitaires. En 1911, une revue technique très qualifiée, le *Shipbuilder*, avait publié un numéro spécial sur le *Titanic,* dans lequel on pouvait lire entre autres : « En manœuvrant un simple commutateur électrique, le capitaine peut instantanément fermer toutes les portes et rendre le navire pratiquement insubmersible. »

Et voilà, le commutateur avait bien été manœuvré, mais Andrews disait maintenant que ça n'avançait à rien. Inconcevable, surtout pour le capitaine Smith. Il était âgé de cinquante-neuf ans et devait prendre sa retraite après ce voyage. Il aurait même pu la prendre plus tôt, mais c'était une tradition, à la White Star, qu'il assurât en personne le premier voyage des nouveaux navires de la compagnie. Six ans auparavant, en prenant la barre de l'*Adriatic,* il avait

46

déclaré : « Je ne peux imaginer aucune raison pour laquelle un tel navire pourrait couler, aucun accident assez grave pour l'envoyer par le fond ; aujourd'hui, les bateaux sont au-dessus de ça. »

Ce soir du 14 avril 1912, il se trouvait sur la passerelle d'un navire deux fois plus grand, deux fois plus sûr que l'*Adriatic*, dont le constructeur lui-même lui disait qu'il ne pouvait pas flotter.

A 0 h 05, vingt-cinq minutes après la collision, le capitaine Smith ordonnait à son second, Wilde, de faire préparer les canots de sauvetage, au premier officier Murdoch de rassembler les passagers, au sixième officier Moody de sortir la liste d'affectation pour chaque canot, au quatrième officier Boxhall de réveiller le second officier Lightoller et le troisième officier Pitman. Ensuite, le capitaine alla trouver lui-même la radio sur le pont des embarcations.

Sur le moment, le premier opérateur John George Phillips et le deuxième opérateur Harold Bride n'eurent pas l'air de saisir la gravité de la situation. Ils avaient eu une journée épuisante. En 1912, la radio était encore une nouveauté. Les portées étaient minimes, les opérateurs manquaient d'expérience et les signaux étaient difficiles à capter. Un nombre considérable de relais et de répétitions était nécessaire. Par-dessus le marché, nombre de messages étaient parfaitement futiles : littéralement fascinés par ce nouveau jouet, les gens passaient leur temps à envoyer des messages à tous leurs amis, chez eux ou à bord d'autres paquebots.

Tout ce dimanche, les messages à envoyer n'avaient pas arrêté de s'empiler. C'était plus qu'il n'en fallait pour mettre à bout de nerfs des hommes censés travailler quatorze heures par jour pour trente dollars par mois. Et Phillips ne faisait pas exception à la règle. Le soir était arrivé, avec toujours d'autres messages à envoyer et toujours les mêmes interruptions ridicules.

Une heure auparavant – juste au moment où il était enfin parvenu à entrer en contact avec Cape Race –, le *Californian*, tout proche, était venu lui hurler aux oreilles quelque chose au sujet d'icebergs. Alors Phillips, excédé, l'avait coupé en lui disant : « Taisez-vous ! J'ai Cape Race en ce moment ! »

La journée avait été tellement dure que le deuxième opérateur avait décidé de relayer Phillips à minuit, quoiqu'il n'eût dû prendre son service qu'à 2 heures. Il s'était réveillé à 23 h 55, avait tiré le rideau vert qui séparait leur cabine de leur « bureau » et était venu demander à Phillips si tout se passait bien. Phillips lui avait répondu qu'il venait d'en terminer avec Cape Race, et Bride était retourné à sa couchette pour enlever son pyjama. Phillips l'avait alors rappelé pour l'informer qu'il semblait y avoir une avarie et qu'ils allaient sans doute devoir retourner à Belfast.

En deux minutes, Bride était habillé et prenait les écouteurs. Phillips s'était à peine retiré derrière le rideau que le capitaine Smith entrait.

– Nous avons heurté un iceberg, dit-il. Je suis en train de constater les dégâts. Soyez prêts à envoyer un appel au secours, mais pas avant que je vous le demande.

Il sortit. Quelques minutes après, il passait sa tête par la porte.

– Envoyez l'appel au secours.

Phillips était retourné dans le « bureau ». Il demanda au capitaine s'il devait envoyer le signal de détresse. Smith lui répondit :

– Oui. Immédiatement !

Il tendit à Phillips un morceau de papier avec la position actuelle du *Titanic*. Phillips reprit les écouteurs à Bride et, à 0 h 15, il commençait à envoyer les lettres « CQD » – signal international de détresse à cette époque – suivies de « MGY », symbole du *Titanic*. Six fois de suite, il lança le même signal dans la nuit sombre et glacée de l'Atlantique.

A dix milles de là, Groves, le troisième officier du *Californian*, s'assit sur la couchette de l'opérateur radio Cyril F. Evans. Groves était un homme jeune, plein d'énergie. Après son quart, il aimait monter voir Evans pour apprendre les dernières nouvelles. Il aimait aussi s'amuser avec le poste.

Sur les cargos de troisième classe, il n'y avait pas beaucoup d'officiers à s'intéresser au monde extérieur, et encore moins à la radio. Sur le *Californian*, en tout cas, il n'y avait qu'Evans et Groves. Les visites de Groves étaient une distraction toujours bienvenue.

Mais pas ce soir. Il avait eu une journée chargée, et il n'y avait personne pour le relayer. Et par-dessus le marché, il avait été plutôt mal reçu par le *Titanic* quand il avait essayé de l'avertir, vers 23 heures, de la présence des glaces flottantes qui bloquaient le *Californian*.

Aussi, à 23 h 30, il n'avait pas perdu de temps pour éteindre son poste. C'était l'heure habituelle de fin d'écoute. Il ne se sentait pas en humeur de faire la conversation tant il était fatigué. Groves fit pourtant un essai.

– Qu'est-ce que tu as attrapé ?
– Seulement le *Titanic*, dit Evans sans même lever les yeux de son magazine.

Ça n'apprenait rien à Groves qui se souvenait que, lorsqu'il avait parlé d'un gros paquebot arrivant sur eux au capitaine Lord, celui-ci lui avait répondu :

– C'est sans doute le *Titanic* qui fait son premier voyage.

Groves prit les écouteurs pour essayer de trouver quelque chose de plus intéressant. Il commençait à se débrouiller assez bien, à condition que le message ne fût pas trop compliqué. Hélas ! il ne connaissait pas grand-chose au fonctionnement de l'appareil. Le poste du *Californian* avait un détecteur magnétique actionné par un système d'horlogerie. Groves ne savait pas qu'il fallait le remonter, et il n'entendit rien.

Il abandonna, remit les écouteurs sur la table et redescendit pour trouver une compagnie plus vivante. Il était un petit peu plus de 0 h 15.

# 3

La porte du logement des cuisiniers claqua contre le cadre de la couchette de Charles Burgess. Il se réveilla en sursaut et fixa le deuxième steward George Dodd, debout dans l'encadrement de la porte. Ce bonhomme tout rond, d'humeur habituellement badine, avait ce soir-là l'air terriblement grave et sérieux.

– Levez-vous, là-dedans ! On coule ! cria-t-il.

Chez les garçons de restaurant, il trouva le barman William Moss, qui s'efforçait de les faire se lever. La plupart riaient et blaguaient. Dodd leur cria :

– Que tout le monde se lève ! Que personne ne reste ici !

Suivi de Moss, il courut chez les maîtres d'hôtel. Juste devant leur porte, le charpentier Hutchinson était en train de dire au steward Witter :

– Et dire que la poste est déjà remplie d'eau ! Moss s'approcha et ajouta :

– C'est vraiment sérieux, Jim.

Les blagueurs eurent vite fait de se taire. Partout, les membres de l'équipage s'habillaient en vitesse. Encore à moitié endormi, le boulanger Burgess passa une chemise et un pantalon, mais ne prit pas sa ceinture de sauvetage. Walter Belford passa son tablier blanc, sans prendre le temps d'enfiler ses sous-vêtements. Ray, lui, se pressa un peu moins ; il n'était pas inquiet. Il s'aperçut tout d'un coup, à sa surprise, qu'il était en train de passer machinalement son complet, alors qu'il ne le mettait d'habitude que pour aller à terre. Witter, qui était tout habillé, ouvrit sa malle et remplit ses poches de cigarettes, puis il prit avec lui le bonnet de son premier enfant – une sorte de talisman – et alla rejoindre tous les autres qui se dirigeaient vers les embarcations.

A l'avant, loin du bruit et de l'agitation, le soutier Samuel Hemming était remonté dans sa couchette : le bruit du peak avant était provoqué par de l'air qui s'en échappait ; et alors ? qu'est-ce que ça pouvait faire ? Il était sur le point de se rendormir quand le charpentier arriva et lui dit :

– Si j'étais toi, je me lèverais. On fait de l'eau tant qu'on peut. La salle de racket est déjà presque complètement sous la flotte.

Une minute plus tard, c'était le maître d'équipage qui arrivait.

– Levez-vous, les gars ! On n'a pas une demi-heure à vivre ! De la part de M. Andrews. Gardez-le pour vous. Ne le dites à personne.

Qui s'en doutait dans le fumoir de première classe ? Le bridge était plus animé que jamais. Le lieutenant Steffanson sirotait toujours son citron pressé chaud. On était en train de distribuer les cartes quand un officier apparut brusquement :

– Mettez tous vos ceintures de sauvetage ! Nous avons de gros problèmes à l'avant.

Dans sa cabine de luxe, Mme Washington Dodge attendait, allongée sur son lit, que son mari revînt lui apporter les dernières nouvelles. Au bout d'un moment, il entra et lui dit calmement :

– Ruth, l'accident est assez sérieux ; nous devons monter sur le pont tout de suite.

Deux ponts plus bas, Mme Lucian Smith, fatiguée d'attendre son mari, s'était rendormie. Tout d'un coup, la lumière s'alluma. Il se pencha sur elle en souriant, debout à côté de son lit, et lui expliqua sans hâte :

– Comme nous sommes assez au nord, nous avons heurté un iceberg. Nous allons sans doute être retardés d'un jour, pas plus. Mais pour la forme, le capitaine veut que les dames montent sur le pont.

C'était partout la même chose : pas de sonneries d'alarme, pas de sirènes, pas d'affolement. Chacun se passait le mot.

Et que pouvait éprouver un petit garçon de huit ans comme Marshall Drew ? Quand sa tante, Mme James Drew, le réveilla pour l'emmener sur le pont, il protesta, déclarant d'une voix endormie qu'il ne voulait pas se lever. Il le fallait pourtant.

Le major Arthur Peuchen n'y comprenait rien non plus, et pourtant, lui, il avait vu la glace sur le pont. Il entendit la nouvelle à l'improviste, alors qu'il était en train de monter le grand escalier. Complètement stupéfait, il se précipita dans sa cabine pour enfiler un vêtement chaud.

Beaucoup furent avertis par leur garçon de cabine. C'est ainsi que John Hardy, chef steward de la deuxième classe, réveilla personnellement les passagers de vingt à vingt-quatre cabines. Chaque fois, il ouvrait la porte en grand et criait :

– Tout le monde sur le pont avec la ceinture de sauvetage, tout de suite !

En première classe, on frappait aux portes avant d'entrer. A cette époque, sur un grand paquebot, un steward était chargé de huit ou neuf cabines seulement ; il était un peu le factotum des passagers sous sa responsabilité. Alfred Crawford, par exemple, s'occupait des passagers les plus difficiles depuis trente et un ans. Sans lui, comment le vieil Alfred Stewart aurait-il passé sa ceinture de sauvetage ? Comment aurait-il lacé ses souliers ?

Dans la C 89, le steward Andrew Cunningham aida le grand éditeur William T. Stead à passer lui aussi sa ceinture. Il se plaignait d'être obligé de se plier à « toutes ces bêtises ».

Dans la B 84, même scène avec Henry Samuel Etches, qui aidait M. Benjamin Guggenheim.

– Mais ça va me faire mal ! se plaignait le grand financier.

Alors, Etches lui ôta sa ceinture, la régla et la lui remit. Guggenheim voulait monter sur le pont sans se couvrir davantage, mais Etches fut inflexible : il faisait beaucoup trop froid. Le financier dut se résoudre à lui obéir ; Etches lui passa un gros chandail et l'envoya sur le pont.

Quelques passagers n'étaient guère désireux de se prêter à cette « mascarade ». Ainsi, à la C 78, Etches trouva la porte fermée à clef. Il cogna aussi fort qu'il put. Un homme finit par demander d'une voix soupçonneuse : « Qu'est-ce que c'est ? » Une femme ajouta : « Que se passe-t-il ? » ; Etches expliqua, tentant encore une fois de se faire ouvrir. En vain. Il plaida encore quelques instants, puis finit par passer à la cabine suivante.

Plus loin, une porte était coincée. Quelques passagers l'enfoncèrent pour libérer la personne qui se trouvait à l'intérieur. C'est alors qu'un steward arriva, furieux, et menaça de faire arrêter les vandales à New York !

A 0 h 15, personne ne savait très bien que croire, ni s'il fallait en rire ou en pleurer, et encore moins comment se comporter. Enfoncer une porte ferait-il de vous un héros ou un cambrioleur ? Les réactions étaient imprévisibles.

Pour Mme Arthur Ryerson, il n'y avait pas un moment à perdre. Elle avait déjà renoncé à laisser son mari dormir, et maintenant elle se dépêchait de faire préparer toute sa famille – son mari, ses trois enfants, la gouvernante et la bonne. Mais les enfants étaient tellement lents ! A la fin, perdant patience, elle jeta un manteau de fourrure sur la chemise de nuit de sa fille pour tout préparatif.

Mme Lucian Smith, à l'inverse, croyait pouvoir prendre tout son temps. Sans se presser, elle s'habilla avec prévoyance, enfilant une robe de lainage très épais, des bottines montantes, deux manteaux et un gros bonnet de laine tricoté main. M. Smith, lui, plaisantait, prévoyait l'arrivée à New York, le train qu'ils prendraient pour aller dans le sud, etc. Pas une fois il ne parla à sa femme de l'iceberg. Or, à peine avaient-ils quitté leur cabine qu'elle voulut y retourner pour prendre quelques bijoux. Cette fois, M. Smith fut plus ferme. Il lui dit carrément qu'il valait peut-être mieux ne pas s'embarrasser de « babioles ». Elle finit par se contenter de deux bagues qu'elle aimait particulièrement. Et, fermant avec soin la porte derrière eux, ils montèrent ensemble sur le pont des embarcations.

Les choses que les gens emportaient avec eux paraissent assez significatives. Adolf Dyker confia à sa femme un petit sac contenant deux montres en or, deux bagues ornées de diamants, un collier de saphirs et deux cents couronnes suédoises. Mlle Edith Russel emporta un jouet, un petit cochon qui jouait un air de musique. Stewart Collett, un jeune étudiant en théologie qui faisait la traversée en deuxième classe, prit sa Bible ; il avait promis à sa mère de ne jamais s'en séparer. Lawrence Beesley mit dans ses poches les livres qu'il était en train de lire dans son lit ce soir-là. Norman Campbell Chambers prit un revolver et une boussole. Johnson, le steward, qui savait qu'il n'était plus question d'un « tour à Belfast », glissa quatre oranges sous sa veste. Mme Dickinson Bishop laissa dans sa cabine des bijoux qui valaient onze mille dollars, mais elle envoya un peu plus tard son mari lui chercher... son manchon.

Dans la C 104, le major Arthur Peuchen fixait du regard une petite boîte métallique posée sur sa table. A l'intérieur, il y avait pour deux cent mille dollars d'obligations et cent mille dollars d'actions. Que fit-il ? Il enleva son habit, enfila deux épaisseurs de sous-vêtements et des vêtements chauds. Il ne savait que faire. Il parcourut encore une fois des yeux la petite cabine avec son lit de cuivre, le vide-poches recouvert d'étoffe verte au-dessus du lit, le lavabo en marbre, le grand fauteuil, le divan de cuir, le ventilateur au plafond, les sonneries et tous les appareils électriques qui, sur un paquebot, ont toujours l'air d'avoir été posés en dernière minute, après la décoration. Enfin, il se décida. Il sortit et claqua la porte en laissant la petite boîte sur la table. Une seconde après, il revenait sur ses pas. Rapidement, il prenait un fétiche porte-bonheur et trois oranges, laissant la petite boîte toujours sur la table.

Sur le pont C, le commissaire McElroy était en train d'enjoindre à quelqu'un de se dépêcher. La comtesse de Rothes passa devant lui.

– Vite, ma petite dame ! lui dit-il. Nous n'avons pas beaucoup de temps. Heureusement que vous ne m'avez pas demandé vos bijoux, comme les autres dames !

Les gens arrivaient petit à petit, entourés, guidés par l'équipage. Un garçon de cabine aperçut Mlle Marguerite Frolicher qui passait dans un couloir. Quatre jours plus tôt, elle s'était gentiment moquée de lui parce qu'il était venu placer une ceinture de sauvetage dans sa cabine. A quoi bon, puisque le *Titanic* ne pouvait pas couler ? Il avait ri et lui avait répondu que c'était seulement « pour la forme », et qu'elle n'aurait jamais à s'en servir. Se souvenant de cette conversation, il lui dit en souriant :

– N'ayez pas peur. Tout va bien.

– Je n'ai pas peur, répondit-elle. J'ai simplement le mal de mer.

En haut des escaliers, tous ces gens formaient un groupe d'allure curieuse. Sous son manteau, Jack Thayer portait un complet de tweed vert, et encore en dessous une veste de mohair. M. Robert Daniel, le banquier de Philadelphie, n'avait que son pyjama de laine ; Mme Tyrell Cavendish un peignoir et un manteau de son mari ; Mme John C. Hogeboom son manteau de fourrure sur sa chemise de nuit ; Mme Ada Clark une simple chemise de nuit ; Mme Washington Dodge n'avait pas pris le temps de mettre de bas et n'avait même pas boutonné ses bottines montantes.

Dans une très belle robe, Mme Astor avait l'air de sortir directement de chez un couturier. Mme John J. Brown, pittoresque millionnaire de Denver, ne lui cédait en rien dans son tailleur de velours noir à revers de soie noir et blanc.

Plusieurs femmes étaient habillées comme pour aller en auto. Mme C. E. Henry Stengel avait un grand chapeau à fleurs avec, par-dessus, une immense voilette qui lui enveloppait complètement la tête ; Mme de Villiers, un énorme manteau de laine par-dessus sa chemise de nuit et ses pantoufles.

Alfred von Drachstedt, un jeune Allemand de vingt ans, avait simplement passé un chandail et un pantalon, laissant derrière lui une garde-robe de 2 133 dollars absolument complète, depuis les cannes jusqu'au stylo, marque suprême de distinction.

Les passagers de deuxième classe étaient nettement moins élégants. M. et Mme Albert Caldwell, qui revenaient du Siam où ils avaient donné des cours au Christian College de Bangkok, avaient bien acheté des vêtements neufs à Londres, mais, ce soir-là, ils avaient revêtu leurs habits les moins beaux ; Alden, leur bébé, était enveloppé dans une couverture. Mlle Elizabeth Nye avait passé une jupe toute simple, une jaquette et des pantoufles. Mme Charlotte Collyer, au lieu de se coiffer, avait noué ses cheveux avec un ruban ; sa fille Marjory, âgée de huit ans, avait un plaid sur les épaules, et son mari s'était à peine couvert, persuadé qu'ils allaient redescendre dans leur cabine après quelques minutes – il avait même laissé sa montre sur son oreiller.

Il y avait beaucoup plus de désordre en troisième classe. Sur le *Titanic,* les cabines des hommes seuls étaient tout à l'avant, et celles des femmes seules tout à l'arrière. C'était une règle, à la White Star, de les séparer. Si bien qu'à ce moment, la plupart des hommes essayaient de se frayer un chemin vers l'arrière pour rejoindre les femmes qu'ils connaissaient.

Katherine Gilnagh, une jolie jeune fille de seize ans à peine, se réveilla en sursaut en entendant quelqu'un frapper à sa porte. C'était le jeune homme qu'elle avait remarqué la veille en train de jouer de la cornemuse sur le pont. Il lui dit de se lever – quelque chose ne tournait pas rond. Anna Sjoblom, une Finlandaise de dix-huit ans qui devait rejoindre la côte du Pacifique, se réveilla elle aussi en voyant entrer un jeune Danois, le chevalier servant de sa camarade de cabine. Il tendit à Anna une ceinture de sauvetage et leur demanda de le suivre. Elle avait tellement le mal de mer qu'elle commença par refuser de bouger, mais, en voyant tout le remue-ménage, elle finit par se décider. Alfred Wicklund, un camarade de collège, arriva à ce moment et l'aida à passer sa ceinture de sauvetage.

De tous ces jeunes gens, Olaus Abelseth était certainement l'un des plus peinés. Ce Norvégien de vingt-six ans se rendait dans une ferme du Dakota du Sud. Or, un vieil ami de sa famille lui avait confié sa fille de seize ans pour qu'il l'accompagnât jusqu'à Minneapolis. Minneapolis paraissait bien loin, maintenant...

Abelseth finit par retrouver la jeune fille dans la grande salle commune de la troisième classe, sur le pont E. De là, accompagné de son beau-frère, d'un cousin et d'une autre jeune fille, il prit l'escalier pour se rendre à l'extrémité arrière du navire.

Dans la nuit glacée, les passagers de toutes les classes se retrouvaient petit à petit à l'extérieur, dans leur zone respective : ceux de première classe au centre du navire, ceux de deuxième un peu en arrière et ceux de troisième tout à fait à l'arrière ou tout à fait à l'avant.

Chacun attendait de nouvelles instructions. Un peu gêné, on se regardait l'un l'autre, on plaisantait timidement sur l'allure que l'on avait avec la ceinture de sauvetage.

— Eh bien ! dit Clinch Smith en voyant une jeune fille qui portait un loulou de Poméranie dans ses bras. Voilà un petit toutou qui n'a pas sa ceinture de sauvetage !

— A ravir, disait un homme à Mme Vera Dick en lui attachant la sienne, elle vous va à ravir. C'est la dernière mode. Tout le monde en porte !

— En tout cas, si vous n'avez pas à vous en servir, elle vous tiendra chaud, dit en riant le capitaine Smith à Mme Alexander T. Compton.

Vers 0 h 30, le colonel Gracie heurta Fred Wright, le professeur de squash du *Titanic*. Se souvenant tout d'un coup de la partie qu'ils devaient jouer ensemble le lendemain matin à 7 h 30, il lui dit :

— Ne ferait-on pas mieux de remettre la rencontre à plus tard ?

— Sans doute, répondit Wright assez froidement, car il savait que le court de squash était déjà sous l'eau.

Sur le pont des embarcations, dans le gymnase brillamment éclairé, M. et Mme Astor, munis de leur ceinture de sauvetage, étaient assis côte à côte sur deux chevaux mécaniques. M. Astor était occupé à ouvrir une troisième ceinture de sauvetage avec son canif pour montrer à sa femme ce qu'il y avait dedans, et surtout pour essayer de la distraire.

Tandis que les passagers plaisantaient entre eux pour tromper leur inquiétude et faire passer le temps, les hommes d'équipage prenaient leur poste aux embarcations de sauvetage. Le pont grouillait de matelots, de stewards, de chauffeurs, de soutiers.

Un des derniers à arriver, mais non le moindre, fut le cinquième officier Harold Godfrey Lowe. Gallois impétueux, Lowe ne passait jamais inaperçu. Quand il avait atteint l'âge de quatorze ans, son père avait voulu le confier à un ami qui possédait une affaire à Liverpool, pour qu'il apprît un métier, mais le jeune Harold avait déclaré qu'il ne travaillerait « jamais gratis pour personne ». Il s'était alors enfui de chez lui pour mener en mer la vie qu'il souhaitait. Une vie qu'il avait passée sur des schooners, des trois-mâts, etc., plus cinq ans de tramping, à bord d'un vapeur sur la côte de l'Afrique occidentale anglaise.

Il avait vingt-huit ans. C'était la première fois qu'il traversait l'Atlantique. Ce dimanche soir, il n'était pas de quart au moment de la collision et le bruit ne l'avait pas réveillé. Il ne finit par ouvrir les yeux que lorsqu'il entendit du bruit sur le pont des embarcations. En regardant par le hublot, il vit tous ces gens portant des ceintures de sauvetage. Son sang ne fit qu'un tour : il s'habilla et fonça sur le pont.

Le deuxième officier, Charles Herbert Lightoller, était en retard lui aussi, mais pour une tout autre raison. Comme Lowe, il dormait au moment de la collision. Il se réveilla immédiatement et, pieds nus, sortit sur le pont des embarcations pour voir ce qui se passait. On n'y voyait rien du tout. Il reconnut vaguement dans la nuit, à l'extrémité droite de la passerelle, le capitaine Smith et le deuxième officier Murdoch qui semblaient scruter la nuit comme s'ils cherchaient quelque chose.

Lightoller retourna dans sa cabine en se demandant ce qu'il devait faire. Il se passait visiblement quelque chose d'anormal à bord. D'abord ce choc, et maintenant les machines qui étaient arrêtées. Mais il n'était pas de quart et, jusqu'à nouvel ordre, ça ne le regardait pas. Si on avait besoin de lui, on le ferait chercher ; en ce moment même, son devoir était de se trouver là où il était supposé se trouver, c'est-à-dire dans sa cabine, et pas ailleurs. Il se rallongea sur son lit et attendit...

Cinq minutes, quinze minutes, trente minutes passèrent. Il pouvait maintenant entendre les jets de vapeur qui s'échappaient en haut des cheminées, il pouvait entendre le brouhaha général, l'agitation, le matériel déplacé. Mais son devoir consistait toujours à être là où on pourrait le trouver.

A 0 h 10, finalement, le quatrième officier Boxhall fit irruption dans sa cabine.

– Vous a-t-on dit que nous avons heurté un iceberg ?

– Je sais seulement que nous avons heurté quelque chose, dit Lightoller en se levant et en commençant à s'habiller.

– Il y a déjà de l'eau jusqu'à la poste sur le pont F, continua Boxhall pour le presser un peu.

Mais Lightoller était déjà prêt. C'était un homme calme, consciencieux, prudent. Il connaissait parfaitement son travail. Un deuxième officier parfait.

Sur le pont des embarcations, les hommes préparaient les canots. Il y en avait huit de chaque côté : un groupe de quatre en avant, et distant d'une soixantaine de mètres, un autre groupe de quatre. Ceux de gauche portaient des numéros pairs, ceux de droite des numéros impairs. Le numéro 1 était le plus en avant. A cela, il fallait ajouter quatre canots en toile pliables marqués A, B, C et D. Pour les mouiller, il fallait se servir des deux bossoirs les plus en avant une fois les embarcations mises à l'eau.

Toutes ces embarcations pouvaient contenir 1 178 personnes. Ce jour-là, le *Titanic* avait à son bord 2 207 personnes.

Cela, aucun passager ne le savait. Très peu de membres de l'équipage étaient au courant. D'ailleurs, qui s'en serait soucié ? Le *Titanic* ne pouvait pas couler, nul ne l'ignorait.

A Southampton, Mme Caldwell avait demandé à l'un des hommes qui embarquaient les bagages à bord :

– Ce navire ne peut vraiment pas couler ?

– Non, madame, lui répondit-il. Dieu lui-même ne pourrait le faire couler.

Sur le pont, les passagers étaient moins inquiets que troublés. Il n'y avait pas eu de manœuvres de sauvetage, et personne ne savait à quel canot il était affecté.

Il y avait bien une liste indiquant son poste à chaque membre de l'équipage, mais personne ne l'avait lue. Tout se passait plus ou moins au hasard ; néanmoins, on aurait dit que chacun sentait où et comment se rendre utile. C'était la discipline de la mer qui portait ses fruits.

A chaque canot, un petit groupe d'hommes s'affairait, enlevant les housses de toile, dégageant les mâts, mettant de côté tout l'équipement qui encombre toujours les embarcations de sauvetage, apportant les lanternes et les boîtes de biscuits de mer. D'autres, aux bossoirs, installaient les manivelles, déroulaient les garants. L'un après l'autre, les bossoirs basculèrent, grinçant, craquant, et les canots se trouvèrent suspendus au-dessus du vide, avant de descendre au niveau du pont des embarcations ou du pont-promenade situé juste en dessous.

Mais la manœuvre n'était pas rapide. A côté de Lightoller, homme d'action, chargé de s'occuper du côté gauche, le second Wilde paraissait beaucoup trop lent et timoré. Lightoller lui demanda s'il pouvait faire basculer ; Wilde lui dit d'attendre. Lightoller préféra monter sur la passerelle pour prendre directement ses ordres du capitaine. La même scène se répéta peu après lorsque Lightoller demanda à Wilde s'il pouvait commencer à faire embarquer les passagers. Lightoller monta sur le pont une deuxième fois ; le capitaine lui dit avec un signe de la tête :

– Oui, faites embarquer les femmes et les enfants et mettez les canots à la mer.

Lightoller fit descendre le canot n° 4 au niveau du pont A et ordonna qu'on fît monter à bord les femmes et les enfants : de là, ils auraient moins de chances de tomber à l'eau. En outre, de cette façon, les passagers dégageraient le pont des embarcations et laisseraient les hommes travailler. Il se souvint trop tard qu'à cet endroit précis du pont-promenade se trouvait un passage couvert et que les fenêtres étaient fermées. Il envoya quelqu'un les ouvrir en courant, et se rendit vers l'arrière au canot n° 6.

Un pied dans le canot et l'autre sur le pont, Lightoller demanda aux femmes et aux enfants de s'avancer – sans enthousiasme, c'est le moins que l'on puisse dire. Pourquoi auraient-ils quitté les ponts solides et bien éclairés du *Titanic* pour monter dans un petit canot, et tout cela pour revenir à bord quelques heures plus tard ? Même John Jacob Astor trouva l'idée ridicule.

– Nous sommes plus en sûreté ici que dans ce petit canot, fit-il remarquer.

Un ami lança gaiement à Mme J. Stuart White, qui montait dans le n° 8 :

– Pour revenir, il vous faudra un permis spécial !
Vous ne pourrez pas remonter à bord demain !

Quant à Mme Constance Willard, elle refusa carrément de monter à bord. Finalement, un officier à
bout de nerfs s'écria :

– Ne perdez pas de temps ! Qu'on la laisse, si elle
ne veut pas venir !

Et puis il y avait la musique, qui ne donnait guère
envie de quitter le bord. Le chef d'orchestre Wallace
Henry Hartley et ses musiciens jouaient du ragtime
dans le salon de première classe, où de nombreux
passagers attendaient que l'on donnât l'ordre de
mettre les embarcations à l'eau. Un peu plus tard,
l'orchestre sortit sur le pont et se posta tout près du
grand escalier. Les musiciens avaient l'air un peu
ridicules, les uns en uniforme bleu, les autres en
veste blanche, mais la musique était bonne.

Tout avait été fait pour donner au *Titanic* le
meilleur orchestre possible. La White Star avait
même volé au *Mauretania* de la Cunard son chef
d'orchestre, Hartley. Quant au pianiste Theodore
Brailey et au violoncelliste Roger Bricoux, il n'avait
pas été difficile de leur faire quitter le *Carpathia*.

– Eh bien ! steward, avaient-ils dit à Robert
Vaughan qui les servait sur le petit paquebot de la
Cunard, nous allons bientôt jouer sur un vrai paque-
bot, et manger convenablement !

Le contrebassiste Fred Clark, lui, naviguait pour la
première fois. C'était un musicien connu qui appartenait à un orchestre en vue, et la White Star se l'était
offert, lui aussi. Le premier violon Jack Hume n'avait
jamais fait partie d'un orchestre, mais son style avait
alors beaucoup de succès. Ce soir-là, le rythme était
rapide, la musique joyeuse et vivante.

Sur le côté droit, les choses allaient un peu plus vite. Mais pas assez au goût du président Ismay, qui n'arrêtait pas de presser les hommes.

— Il n'y a pas de temps à perdre, dit-il à Pitman, le troisième officier, qui s'occupait du canot n° 5.

Pitman haussa les épaules : il ne connaissait pas Ismay et n'avait guère le temps de faire attention à ce type en pantoufles. Ismay lui ordonna de faire monter les femmes et les enfants. C'en était trop pour Pitman.

— J'attends les ordres du capitaine, dit-il sèchement. Mais, subitement, il comprit qui était cet importun. Il traversa le pont et raconta l'incident au capitaine Smith. Devait-il obéir à Ismay ? Smith répondit seulement :

— Allez-y.

Pitman retourna au canot n° 5, y monta et cria :

— Les dames à bord !

Mme Catherine Crosby et sa fille Harriet furent littéralement projetées dans le canot par le capitaine Edward Gifford Crosby, leur mari et père, armateur de Milwaukee et ancien capitaine sur les Grands Lacs. Il n'avait pas l'habitude de se bercer d'illusions. Juste après la collision, il avait dit à sa femme :

— Si tu ne te lèves pas, tu seras noyée.

Et un peu plus tard :

— Ce navire a eu un grave accident, mais je pense que ses compartiments lui permettront de flotter.

Lentement, d'autres dames s'avancèrent : Mlle Helen Ostby ; Mme F. M. Warren ; Mme Washington Dodge avec son fils de cinq ans ; une jeune serveuse. Quand il n'y eut plus aucune femme à vouloir monter seule, on laissa embarquer quelques couples, puis quelques hommes seuls. Sur le côté droit, ce fut la ligne de conduite pendant toute la soirée – les femmes d'abord, et les hommes ensuite, s'il restait encore de la place.

Un peu plus vers l'arrière, le premier officier Murdoch, qui avait la responsabilité générale du côté droit, avait toutes les difficultés à remplir le canot n° 7. L'actrice de cinéma Dorothy Gibson était montée à bord, suivie de sa mère. Elles réussirent à faire embarquer avec elles leurs partenaires de bridge de la soirée, William Sloper et Fred Seward. Après beaucoup d'hésitation, quelques autres personnes finirent par les rejoindre. Quand ils furent dix-neuf ou vingt dans le canot, Murdoch décida qu'il ne pouvait pas attendre plus longtemps. Il était 0 h 45. Il donna l'ordre de faire descendre. Ce fut le premier bateau à la mer.

Puis, il ordonna à Pitman de monter dans le n° 5 et lui demanda de rester près de la passerelle arrière une fois qu'ils seraient à la mer. Il lui donna une poignée de main et lui dit avec un sourire :

– Au revoir et bonne chance !

Et le n° 5 commença à descendre dans un grincement de poulies. Bruce Ismay, qui se trouvait là, agrippé d'une main au bossoir, se mit à faire de grands gestes du bras en criant :

– Faites descendre ! Faites descendre !

– Si vous voulez bien foutre le camp, explosa Lowe qui dirigeait la manœuvre des bossoirs, peut-être que j'arriverai à quelque chose ! Vous voulez que je les fasse descendre à toute vitesse ? Tout ce que je vais arriver à faire, c'est les noyer !

Ismay en eut le souffle coupé. Sans un mot, il battit en retraite. Les vieux de l'équipage en restèrent bouche bée : un cinquième officier n'insulte pas ainsi le président de sa compagnie ! A New York, il y aurait des comptes à régler. Car tous – ou presque –

étaient persuadés d'arriver à bon port. Peut-être sur un autre navire...

– Peuchen, dit Charles M. Hays au major qui donnait un coup de main pour préparer les bateaux. On en a encore pour huit heures au moins avant de couler. C'est Crosby, l'un des meilleurs matelots de l'équipage, qui me l'a dit.

M. Gatti, le chef du restaurant français A La Carte, n'était pas plus inquiet que les autres. Debout, au beau milieu du pont des embarcations, il était l'image même de la dignité – son chapeau sur la tête, sa valise à la main et une couverture de voyage bien pliée sur le bras.

M. et Mme Lucien Smith et M. et Mme Sleeper Harper bavardaient tranquillement dans le gymnase. Il n'y avait plus personne sur les chevaux mécaniques – les Astor avaient disparu. Il n'y avait personne non plus sur les bicyclettes d'entraînement fixées au sol, que, la veille encore, les passagers se disputaient.

Cependant, même vide, cette grande salle bien éclairée, toute propre, avec son parquet de linoléum brillant, ses grands fauteuils confortables, était plus agréable que le pont des embarcations. Et il y faisait certainement plus chaud. Pourquoi se presser ?

Sur le pont A, quatre hommes s'étaient réfugiés dans le fumoir ; assis à une table, on aurait dit qu'ils cherchaient à fuir l'agitation qui régnait à l'extérieur – Archie Butt, Clarence Moore, Francis Millet et Arthur Ryerson.

Bien plus bas, le graisseur Thomas Ranger commençait, à ce moment-là, à éteindre les uns après les autres les quarante-cinq gros ventilateurs de la salle des machines, en pensant à ceux qu'il aurait à réparer le lendemain. L'électricien Alfred White était en train de réparer une dynamo et se préparait à boire son café, en train de passer dans la cafetière posée à côté de lui, sur son établi.

Tout à fait à l'arrière du *Titanic*, le quartier-maître George Thomas Rowe, lui, était toujours de quart. Une heure plus tôt, il avait vu un iceberg passer, mais depuis, il n'avait rien vu ni entendu de spécial. Tout à coup, il aperçut, à droite, un canot de sauvetage. Complètement stupéfait, il appela la passerelle pour demander si l'on savait qu'il y avait une embarcation à la mer. Une voix encore plus stupéfaite lui demanda qui il était. On l'avait oublié ! On lui dit de monter immédiatement sur la passerelle et d'apporter des fusées avec lui. Il descendit sur le pont inférieur, en prit une boîte de douze dans un coffre et rejoignit la passerelle en courant. Il était le dernier à ignorer ce qui se passait. Tous les autres le savaient désormais trop bien.

Le vieux docteur O'Loughlin chuchota à l'oreille de la serveuse Mary Sloan :

— Mon enfant, tout va très mal.

Tout près de la poste, une autre serveuse, Annie Robinson, regardait l'eau monter sur le pont F. Elle aperçut une valise abandonnée dans le couloir ; qu'est-ce que cette valise faisait là ? Hutchinson arriva avec un paquet de cordages sur le bras. Il avait l'air complètement bouleversé. Elle se leva et, un peu plus loin, sur le pont A, heurta Thomas Andrews, qui se mit à la gronder comme une enfant :

— Je croyais vous avoir dit de mettre votre ceinture de sauvetage !

— Oui, lui répondit-elle, mais j'avais compris qu'il fallait seulement que je la prenne avec moi.

– Mais non, portez-la sur vous ! Mettez-la ! Et ne restez pas là, marchez, pour que les passagers vous voient avec !

– Ce n'est pas très seyant...

– Quelle importance ! Mettez-la... si vous tenez à vivre !

Andrews savait parler aux gens, il les comprenait. Plein de dynamisme, toujours charmant, toujours agréable, il était partout, il aidait tout le monde. Suivant l'image qu'il se faisait d'une personne, il s'adressait à elle de la façon la plus appropriée. Au steward Johnson, qui était bavard comme une pie, il assura que tout irait bien. A M. et Mme Albert Dick, qui avaient été plusieurs fois ses compagnons de table, il dit : « Tout est noyé en bas, mais si les cloisons arrière tiennent le coup, on ne coulera pas. » A Mary Sloan, une serveuse qu'il savait calme et sérieuse : « C'est très grave, mais ne dites rien pour ne pas provoquer de panique. » A John B. Thayer, en qui il avait toute confiance, il avoua enfin qu'il ne donnait pas au navire « plus d'une heure à vivre »...

Plusieurs membres de l'équipage l'avaient déjà compris. Le matelot John Poingdestre avait quitté le pont des embarcations pour aller à l'avant chercher ses bottes sur le pont E. Au moment où il allait retourner à son travail, la cloison de droite de son logement s'était effondrée sous la pression de l'eau. En un instant, il en avait eu jusqu'à la poitrine, et il ne réussit à s'échapper que d'extrême justesse.

Un peu plus à l'arrière, le garçon de restaurant Ray descendit lui aussi sur le pont E pour prendre un manteau plus chaud ; en revenant, il remarqua qu'il n'y avait plus personne sur la grande coursive longitudinale. On entendait seulement l'eau clapoter, plus loin, vers l'avant.

Joseph Thomas Wheat avait sa cabine encore un peu plus à l'arrière, mais sur le pont F, juste à côté du bain turc où il jeta un coup d'œil après être allé prendre chez lui un objet de valeur qu'il avait oublié. Le bain turc occupait plusieurs pièces outrageusement décorées dans un style hybride, mi-reine Victoria, mi-Rudolph Valentino : sols en mosaïque, murs revêtus de céramique bleu-vert, poutres dorées sur plafond rouge sombre, etc. Mais tout était parfaitement sec.

Un instant plus tard, parvenant à l'escalier menant sur le pont, il remarqua quelque chose de bizarre : un mince filet d'eau qui *descendait* l'escalier depuis le pont E. Il y en avait juste assez pour qu'il s'éclaboussât en marchant. Arrivé en haut, il se rendit compte que l'eau venait de l'avant et du côté droit. Il comprit aussitôt : dans le compartiment antérieur, l'eau avait été arrêtée au niveau du pont F par la cloison étanche ; petit à petit, elle était montée jusqu'au pont E, et maintenant, trouvant le chemin libre puisque la cloison ne montait pas plus haut, elle redescendait dans le compartiment immédiatement à l'arrière.

La chaufferie n° 5 était le seul endroit où il semblait qu'on eût encore la situation bien en main. Après avoir fait éteindre les feux, le chef chauffeur Barrett avait envoyé la plupart des soutiers à leur poste aux canots de sauvetage. Il était resté en bas, ne gardant que quelques hommes avec lui pour aider Harvey et Sheperd aux pompes.

Sur l'ordre de Harvey, il découvrit le trou d'homme dans le plancher de la chaufferie pour que Harvey pût descendre régler les pompes.

La salle était complètement obscurcie par la vapeur d'eau qui s'était dégagée lorsqu'on avait mouillé les feux pour les éteindre. Les hommes, de vagues silhouettes à peine visibles, travaillaient dans la lueur diffuse des lampes, qui peinait à percer l'atmosphère épaisse.

Sheperd tomba dans le trou d'homme et se cassa la jambe. Harvey, Barrett et le chauffeur George Kemish se précipitèrent, le soulevèrent et le transportèrent jusqu'à la chambre des pompes, un endroit clos à une extrémité de la chaufferie. Juste le temps de le déposer là, et de nouveau au travail dans la vapeur. Mais un instant après, la passerelle téléphonait en donnant l'ordre à tous de monter sur le pont des embarcations. Ils se dirigèrent donc vers les échelles métalliques, sauf Sheperd, allongé là où ses camarades l'avaient déposé, et Barrett et Harvey, qui travaillaient toujours à régler le débit des pompes. Au bout de quinze minutes, ils commençaient à respirer – toujours pas de trace d'eau dans la chaufferie, et le débit était régulier et paraissait bien réglé.

Tout d'un coup, dans un rugissement de tonnerre, un torrent d'eau déferla entre les deux chaudières, à l'avant de la chaufferie. C'était la cloison étanche qui venait de céder.

Harvey cria à Barrett de se sauver. Barrett grimpa à l'échelle le plus vite qu'il put. Il vit encore Harvey se diriger vers la chambre des pompes, où Sheperd était toujours allongé, puis disparaître dans un tourbillon d'eau noire.

Tout en haut, à la radio, on n'entendait d'autre bruit que le crépitement du poste. Phillips envoyait son appel de détresse et transcrivait les réponses qui lui arrivaient. Bride finissait de s'habiller entre deux courses frénétiques jusqu'à la passerelle.

Les nouvelles étaient rassurantes. Le premier navire à répondre fut le steamer de la Lloyd allemande, le

*Frankfort*. A 0 h 18, il envoya un « O.K. », mais ne signala pas sa position. Une minute après arrivaient d'autres messages : le *Mount Temple* de la Canadian Pacific ; le paquebot *Virginian* de la compagnie Allan ; le cargo russe *Burma*.

Des signaux partaient dans la nuit dans toutes les directions. Les navires hors de portée de l'émetteur du *Titanic* recevaient ses messages relayés par d'autres navires. Les nouvelles parvenaient toujours plus loin. Cape Race reçut directement le *Titanic* et retransmit le message à l'intérieur du pays. Sur le toit des grands magasins Wanamaker, à New York, un jeune radioamateur, David Sarnoff, reçut le message très faiblement et le retransmit lui aussi. Le monde entier passait à l'écoute et se mettait à trembler d'angoisse.

Tout près du *Titanic*, le *Carpathia*, de la Cunard, faisait route plus au sud sans se douter de rien. Son unique opérateur-radio, Harold Thomas Cottam, se trouvait sur la passerelle au moment où Phillips avait envoyé son « CQD ». De retour devant son poste, Cottam appela le *Titanic* pour lui annoncer que Cape Race avait des messages pour lui.

A 0 h 25 arrivait la réponse brutale du *Titanic* : « Arrivez de suite. Avons heurté un iceberg. C'est un CQD, mon vieux. Position 41° 46' N – 50° 14' O. »

Un moment de silence, puis Cottam demanda à Phillips s'il devait prévenir son capitaine. « Oui. Vite. » Après cinq minutes d'attente, enfin une bonne nouvelle : le *Carpathia* n'était qu'à 58 milles et arrivait « immédiatement ».

A 0 h 34, de nouveau le *Frankfort* – à 150 milles du *Titanic*. Phillips demanda : « Venez-vous à notre secours ? » Le *Frankfort* : « Que se passe-t-il ? »

Phillips : « Dites à votre capitaine de venir à notre secours. Nous sommes dans les glaces. »

Le capitaine Smith lui-même vint trouver Phillips pour se faire une idée plus précise de la situation. L'*Olympic*, sistership du *Titanic*, venait d'entrer en contact à son tour, à 500 milles de là. C'était un navire puissant, assez vaste pour recueillir tout le monde. De surcroît, il existait un lien très fort entre les deux navires. Phillips restait en contact, tout en continuant à appeler au secours d'autres navires, plus rapprochés.

« Quel appel envoyez-vous ? », demanda Smith.

« CQD », répondit Phillips sans faire attention.

Tout à coup, Bride eut une idée – « CQD » était le signal traditionnel, mais une convention internationale venait d'entrer en vigueur, qui remplaçait « CQD » par « SOS ». C'était un signal plus facile à comprendre par n'importe quel radioamateur.

– Envoyez « SOS », dit Bride. C'est le nouveau signal, et peut-être la dernière chance de nous en servir.

Phillips se mit à rire et envoya. Il était exactement 0 h 45 quand fut envoyé par le *Titanic* le premier « SOS » de l'histoire.

Mais aucun espoir de secours n'était plus sérieux que celui que l'on pouvait fonder sur ce navire dont on voyait un feu clignoter à quelque 10 milles de là, sur la gauche du *Titanic*. Aux jumelles, Boxhall, le quatrième officier, vit qu'il s'agissait d'un vapeur. Il essaya d'entrer en contact avec la lampe morse, et, à un moment, crut même qu'on lui répondait. Mais les signaux étaient inintelligibles ; ce ne devait être que le feu de mât qui clignotait sur l'horizon.

Il fallait agir, trouver autre chose. Dès que le quartier-maître Rowe fut arrivé sur la passerelle, le capitaine Smith lui demanda s'il avait apporté les fusées avec lui. Rowe les lui montra.

– Lancez-en une maintenant, et une autre toutes les cinq ou six minutes, lui dit Smith.

A 0 h 45, un trait de lumière éclatant déchirait la nuit. C'était la première fusée que Rowe venait de lancer. Elle monta, monta, bien plus haut que les mâts et que l'écheveau du gréement, puis elle éclata tout d'un coup et une pluie d'étoiles brillantes tomba lentement sur la mer.

Dans la lueur blanchâtre, le cinquième officier Lowe entrevit les traits de Bruce Lemay. Il paraissait décomposé.

A 10 milles de là, sur la passerelle du *Californian*, l'élève officier James Gibson était intrigué par cet étrange navire qui était arrivé à l'est et qui n'avait pas bougé depuis une heure. Aux jumelles, il pouvait distinguer ses feux de position et une sorte de tache lumineuse à l'arrière. Un moment, il crut qu'il essayait d'entrer en contact par signaux optiques. Il voulut répondre, mais abandonna bien vite, certain que ce devait être simplement son feu de mât qui clignotait sur l'horizon.

De la passerelle, le deuxième officier Herbert Stone regardait lui aussi l'étrange navire. A 0 h 45, il vit éclater au-dessus de lui un éclair de lumière blanche.

« Curieux, se dit-il, qu'un navire lance des fusées comme ça, en pleine nuit. »

# 4

Inutile d'être un loup de mer pour comprendre ce que signifiaient ces fusées. Lawrence Beesley lui-même l'avait compris. Le *Titanic* avait besoin d'aide ; un besoin absolument urgent. Il fallait que tout navire assez proche pour voir ses signaux vînt immédiatement à son secours.

Sur le pont des embarcations aussi, tout le monde l'avait compris. Et plus personne ne souriait ; plus personne ne traînait non plus. On prenait à peine le temps de se dire au revoir.

– Tout ira bien, ne t'inquiète pas, dit Dan Marvin à sa femme – ils étaient mariés depuis quelques jours à peine. Pars devant, je te rejoins dans un moment.

Et il lui envoya un baiser pendant qu'elle montait dans le canot.

– A tout à l'heure, dit avec un sourire M. Dyker à sa femme qu'il aidait à enjamber le plat-bord.

– Sois courageuse ; quoi qu'il arrive, sois courageuse, dit M. W. E. Minahan à sa femme en s'éloignant du bastingage.

M. Tyrell Cavendish, lui, ne dit rien à Mme Cavendish. Juste un baiser... un long regard... un autre baiser... et il se noya dans la foule.

En disant au revoir à sa femme et à ses trois filles, M. Mark Fortune, qui restait avec son fils à bord du *Titanic*, reprit à son épouse les objets de valeur qu'il lui avait d'abord confiés.

– Je m'en charge, expliqua-t-il. Nous prenons le bateau suivant.

– Charles, occupe-toi de Papa ! cria l'une des trois filles à son frère.

Mme Walter D. Douglas suppliait son mari :

– Walter, je t'en prie, viens avec moi !

– Non, lui répondit M. Douglas en se détournant, je dois me conduire comme un homme.

– Essaie de rester avec M. Moore et le major Butt. Ils sont forts et solides, et ils arriveront sûrement à s'en tirer.

Ce fut le dernier conseil que sa femme lui donna.

Mais il y avait aussi des femmes mariées qui refusaient de quitter leur époux.

M. et Mme Edgar Mayer, des New-Yorkais, eurent tellement honte de se disputer en public qu'ils redescendirent dans leur cabine. Ils finirent par accepter de se séparer à cause de leur tout jeune enfant.

Arthur Ryerson, pour décider sa femme, lui dit :

– Il faut obéir aux ordres. Si on dit : « Les femmes et les enfants d'abord », il *faut* obéir. Je reste ici avec Jack Thayer. Il ne nous arrivera rien.

Alexander T. Compton Jr fut aussi ferme et inébranlable que M. Ryerson. A sa mère, qui avait décidé de rester plutôt que de partir sans lui, il dit :

– Ne dis pas de bêtises, Maman. Monte dans le canot avec ma sœur. Je me débrouillerai.

M. et Mme Lucien Smith étaient confrontés au même dilemme. En voyant le capitaine Smith tout près d'eux, un mégaphone à la main, Mme Smith eut une inspiration. Elle alla le trouver, lui dit qu'elle était seule au monde, demanda si son mari pouvait partir avec elle. Sans lui répondre, le vieux capitaine porta le mégaphone à sa bouche et cria :

– Les femmes et les enfants d'abord !

Alors, M. Smith s'avança et lui dit :

– N'y faites pas attention, capitaine. Je vais la faire monter dans un canot.

Puis, se tournant vers sa femme, il lui dit en parlant très lentement :

– C'est la première fois que je te demande de m'obéir. Je le dois. Si l'on fait monter les femmes et les enfants d'abord, c'est uniquement parce que c'est la façon normale de procéder. Le navire est très bien équipé, tout le monde sera sauvé.

Mme Smith lui demanda s'il disait bien la vérité. Sans hésitation, il lui répondit :

– Oui.

Ils s'embrassèrent et, tandis que le canot de sauvetage descendait lentement vers la mer, il lui cria encore :

– Garde tes mains dans tes poches ! Il fait très froid !

Plus facile à dire qu'à faire...

Mme Taussig s'agrippait encore désespérément à son mari quand le canot n° 8, où se trouvait déjà leur fille, commença à descendre. Mme Taussig se retourna en criant :

– Ruth !

Une seconde d'inattention. Deux hommes en profitèrent pour l'arracher à son mari et l'emmener jusqu'au canot.

Il fallut que deux matelots prennent Mme Charlotte Collyer par le bras et par la taille, qu'ils la traînent sur le pont pour parvenir à la séparer de son mari. Elle donna des coups de pied et se débattit tant qu'elle put pour essayer de se libérer, malgré son mari qui lui criait :

– Vas-y, Lottie ! Au nom du ciel, sois courageuse, monte dans le canot ! Je trouverai bien une place dans un autre !

Quand Celiney Yasbeck se rendit compte que son mari ne monterait pas dans le canot où elle se trouvait, elle se mit à crier et chercha par tous les moyens à en sortir – en vain.

Ni la persuasion ni la force ne purent avoir raison de l'entêtement de Mme Hudson J. Allison ; un peu à l'écart des autres passagers, elle se tenait serrée contre son mari, tandis que sa petite fille Lorraine s'accrochait à sa jupe.

Mme Isidor Straus, elle aussi, refusa de partir.

– Je suis toujours restée avec mon mari. Pourquoi devrais-je le quitter maintenant ?

Et c'est vrai qu'ils avaient une longue vie commune derrière eux : les ruines de la guerre de Sécession, le petit magasin de porcelaine à Philadelphie, la fondation, l'expansion de Macy's, devenu une institution nationale, le Congrès... et maintenant le crépuscule heureux de cette vie bien remplie – avec les conseils, les œuvres de bienfaisance, les voyages. Ils venaient de passer l'hiver dans le midi de la France et le voyage inaugural du *Titanic* leur avait paru une agréable façon de rentrer aux États-Unis.

Comme les autres passagers, ils étaient montés tous deux sur le pont. D'abord, Mme Straus avait donné l'impression de ne savoir que faire. Dans un premier mouvement, elle avait confié quelques bijoux à sa bonne Ellen Bird ; peu après, elle les avait repris. Plus tard, elle avait traversé le pont des embarcations, mais, au moment où elle allait monter dans le canot n° 8, elle avait changé d'avis et était allée rejoindre son mari. Maintenant, sa décision était prise.

– Nous avons toujours vécu ensemble. Où tu iras j'irai.

Archibald Gracie, Hugh Woolner et d'autres amis tentèrent en vain de la raisonner. A la fin, Woolner se tourna vers M. Straus et lui dit :

– Je suis sûr que personne ne dirait rien si un monsieur de votre âge...

– Je n'entrerai pas dans un canot avant mon tour, dit M. Straus pour clore la discussion.

Sa femme et lui s'assirent côte à côte sur deux transats.

La plupart des femmes, pourtant, montèrent dans les canots – conduites par leur mari ou escortées par leurs protecteurs : à cette époque, avant une traversée de l'Atlantique, il était d'usage que les hommes offrent leurs services aux dames « non protégées ». Ce soir-là, ce geste de courtoisie prenait tout son sens.

Howard Case, le directeur de la Vacuum Oil à Londres, et le jeune W. A. Roebling, fils d'un roi de l'acier, aidèrent Mme William T. Graham, sa fille Margaret âgée de dix-neuf ans et sa gouvernante miss Shutes à monter à bord du n° 8. Du canot qui descendait à la mer, Mme Graham vit Case, appuyé au bastingage, qui allumait une cigarette et leur faisait au revoir de la main.

Mme E.D. Appleton, Mme R.C. Cornell, Mme J. Murray Brown et Mlle Edith Evans, qui revenaient d'un enterrement en Grande-Bretagne, étaient, quant à elles, sous l'aile protectrice du colonel Gracie, lequel les perdit dans la foule tôt après l'accident, et ce ne fut que beaucoup plus tard qu'il les retrouva. Les perdit-il en s'occupant en même temps d'une dame qui dînait à la même table que lui, Mme Churchill Candee ? Celle-ci revenait de Paris, où elle était allée voir son fils, victime d'un accident d'avion – chose rare à l'époque. Elle devait être bien jolie car presque tous voulaient devenir son protecteur attitré.

Edward A. Kent, un autre compagnon de table, la rencontra immédiatement après la collision ; elle lui confia une miniature en ivoire représentant sa mère. Puis Hugh Woolner et Bjornstrom Steffanson la firent monter dans le canot n° 6. Woolner lui assura qu'il l'aiderait à remonter à bord une fois que le *Titanic* serait « remis d'aplomb ». Un peu plus tard, Gracie et Clinch Smith étaient tombés sur Woolner et lui avaient dit qu'ils cherchaient Mme Candee ; il leur répondit avec un malin plaisir que l'« on s'était déjà occupé d'elle » et qu'elle était en lieu sûr.

Heureusement pour elle, car le pont s'inclinait de plus en plus. Même les plus insouciants commençaient à s'inquiéter. Plusieurs personnes, qui avaient laissé tout ce qu'elles possédaient dans leur cabine, voulurent redescendre prendre ce qu'elles avaient de plus précieux, ce qui donna lieu à quelques surprises. Celiney Yasbeck trouva sa cabine complètement submergée, tout comme Gus Cohen. Victorine, la bonne française des Ryerson, eut une aventure encore plus désagréable : la cabine de ses maîtres était toujours indemne, mais, tandis qu'elle cherchait quelque chose à l'intérieur, elle entendit la clef tourner dans la serrure. C'était le steward qui fermait les cabines de luxe pour éviter le pillage. Elle cria juste à temps. Il lui ouvrit, et elle remonta en courant sur le pont sans s'occuper plus longtemps de ce qu'elle était venue chercher.

Le temps pressait maintenant. Thomas Andrews courait d'un canot à l'autre, demandant aux femmes de se dépêcher :

– Il faut embarquer immédiatement ! Il n'y a pas un moment à perdre ! Vous n'avez pas le temps de choisir votre canot ! N'hésitez pas ! Embarquez ! Embarquez !

Andrews avait de bonnes raisons d'être énervé : les femmes se montraient hésitantes, indécises. Une jeune fille sur le point de monter dans le canot n° 8 s'écria tout à coup :

– Mais j'ai oublié la photo de Jack ! Il me la faut absolument !

Tout le monde protesta, mais elle parvint à se précipiter vers sa cabine pour réapparaître au bout d'un moment, avec la précieuse photo.

Désormais, les minutes étaient comptées, et pourtant tout avait l'air calme. Lorsque le second, Wilde, lui demanda de venir l'aider à chercher les armes à feu, le deuxième officier, Lightoller, objecta que c'était encore une façon supplémentaire de perdre du temps. Il emmena néanmoins le capitaine Smith, Wilde et Murdoch au coffre où on les gardait enfermées. Wilde mit un revolver dans la main de Lightoller.

– Vous pourrez en avoir besoin, lui dit-il.

Lightoller le fourra dans sa poche et retourna en courant au canot dont il s'occupait.

Les uns après les autres, on se dépêchait de mettre les canots à la mer : le n° 6 à 0 h 55, le n° 3 à 1 heure, le n° 8 à 1 h 10. En les voyant descendre, William Carter, un passager de première classe, confia à Harry Widener qu'il allait tout de même essayer de monter dans un canot. Mais Widener n'était pas prêt à le suivre.

– Je crois que je vais rester, Billy, lui dit-il. Je vais prendre ce risque.

L'équipage était loin d'être aussi optimiste. Quand Wheat vit que le chef steward Latimer portait sa ceinture de sauvetage par-dessus son manteau, il lui conseilla très fortement de la mettre par-dessous – ce serait plus pratique pour nager.

Sur la passerelle, Boxhall et Rowe continuaient à lancer des fusées ; mais Boxhall ne croyait pas encore à ce qui arrivait.

– Capitaine, demanda-t-il, est-ce *vraiment* sérieux ?

– M. Andrews m'assure, lui répondit calmement Smith, qu'il donne encore au *Titanic* entre une heure et une heure et demie...

Lightoller avait trouvé un repère – l'escalier de secours étroit et très raide qui menait du pont des embarcations au pont E. L'eau montait lentement et, de temps en temps, Lightoller allait jusqu'au sommet de l'escalier pour compter combien de marches avaient encore disparu – calcul facile, car les lampes, encore allumées sur toute la hauteur de la cage de l'escalier, éclairaient l'eau par en dessous.

La jauge indiquait que le temps pressait énormément. Les passagers, plus nerveux, se dépêchaient maintenant. Une jolie Française tomba sur le pont dans sa hâte à monter à bord du canot n° 9. Une femme plus âgée, tout en noir, manqua carrément le n° 10 et tomba entre le bord du canot et celui du *Titanic*. L'horreur se lut sur tous les visages, mais quelqu'un réussit à l'attraper par la cheville, et, du pont-promenade en dessous, on parvint à la ramener à bord ; elle remonta sur le pont des embarcations pour monter à bord du canot.

Plusieurs personnes perdirent toute patience. Une vieille dame entra dans une grande fureur à bord du canot n° 9, écarta tout le monde et remonta à bord du *Titanic*.

Une jeune femme hystérique piétinait d'impuissance à côté du n° 11. Elle n'arrivait pas à monter dans l'embarcation. Finalement, le steward Witter monta à cheval sur le bastingage pour l'aider, mais elle lui fit perdre son équilibre et ils basculèrent tous les deux dans le fond du canot.

Une femme énorme pleurait près du n° 13 en criant :

– Ne me mettez pas dans ce canot ! Je ne veux pas monter dans ce canot ! Je ne suis jamais montée dans un canot découvert de ma vie !

Un essai pour faire embarquer les gens de beaucoup plus bas, à partir des passerelles, échoua pitoyablement. Les portes ne furent pas ouvertes, les canots, qui étaient censés attendre au pied des passerelles, descendirent et les passagers, qui devaient embarquer, furent laissés pour compte... Les Caldwell et quelques autres personnes descendirent jusque sur le pont C. Une fois qu'ils furent engagés sur la passerelle fermée, au bout de laquelle un canot devait les prendre, quelqu'un, qui n'était pas au courant, ferma la porte d'entrée de la passerelle derrière eux. D'en haut, on finit par les apercevoir, et on leur fit descendre une échelle.

On manquait terriblement de matelots qualifiés. On avait fait monter les meilleurs hommes à bord des premiers canots, qui avaient quitté le bord. D'autres hommes étaient occupés à des travaux bien précis, comme d'installer des lanternes, ouvrir les fenêtres sur le pont A ou aider à lancer les fusées. Six matelots descendirent pour gréer une passerelle. Ils ne revinrent jamais, probablement coincés quelque part en bas. Lightoller lâchait maintenant ses hommes au compte-gouttes ; pas plus de deux hommes par embarcation.

Le canot n° 6 était à moitié descendu quand une femme s'écria :

— Mais nous n'avons qu'un matelot avec nous !

— Des hommes de mer, par ici ? demanda Lightoller sur le pont.

— Si vous voulez, j'irai, dit une voix dans la foule.

— Vous êtes navigateur ?

— Je suis yachtman.

— Si vous êtes capable de descendre le long de cette corde, vous pouvez y aller.

Et le major Arthur Godfrey Peuchen – vice-commodore du Royal Canadian Yacht Club – enjamba le bastingage, saisit la corde en question et se laissa glisser jusqu'à l'embarcation. Ce fut le seul passager masculin que Lightoller laissa embarquer cette nuit-là.

Les hommes étaient mieux lotis sur le côté droit. Murdoch continuait à les laisser monter quand il y avait de la place. C'est ainsi que l'aviateur français Pierre Maréchal et le sculpteur Paul Chevré montèrent dans le n° 7 ; deux acheteurs de chez Gimbels dans le n° 5. Quand le n° 3 fut prêt à descendre, Henry Sleeper Harper put rejoindre sa femme à bord, et non seulement lui, mais son pékinois Sun Yat-sen et un guide égyptien nommé Hamad Hassab qu'il avait connu au Caire et emmené avec lui.

Du même côté, le garçon de restaurant Ray aperçut près du canot n° 13 le docteur Washington Dodge qui paraissait perdu. Ray lui demanda si sa femme et son fils étaient partis. Ray se sentit soulagé d'apprendre que oui, car il avait servi cette famille sur l'*Olympia* quand ils avaient fait la traversée dans l'autre sens, et c'était lui qui les avait persuadés de revenir sur le *Titanic*. D'une certaine façon, c'était à cause de lui qu'ils se trouvaient là... Mais on n'avait pas le temps de philosopher, et Ray dit au docteur :

– Montez donc là-dedans.

Et il le poussa dans le canot n° 13.

Au canot n° 1, on se faisait presque des politesses. Sir Cosmo Duff Gordon demanda à Murdoch si lui, sa femme et la secrétaire de sa femme, Mlle Francatelli – que Lady Duff Gordon appelait toujours Mlle Franks – pouvaient monter à bord.

– Oh ! mais certainement, j'en serais enchanté, répondit Murdoch, à en croire Sir Cosmo.

D'un autre côté, la vigie George Symons, qui se trouvait tout près, crut entendre : « Oui, sautez dedans ! » Puis deux Américains, Abraham Solomon et C.E.H. Stengel, s'approchèrent. On leur offrit également de monter. Stengel eut un peu de mal à escalader le bastingage. Il y arriva finalement, mais il bascula et fit une véritable cabriole jusqu'au fond de l'embarcation. Murdoch, qui était souple comme une anguille, éclata de rire.

– C'est la chose la plus drôle que j'ai vue de la soirée !

Il n'y avait plus l'air d'y avoir personne dans les parages. Les canots les plus proches avaient tous été mis à la mer, et l'équipage s'était retiré plus à l'arrière. Les cinq premiers passagers bien installés à bord, on fit monter six chauffeurs ; on donna le commandement de l'embarcation à la vigie Symons en ces termes :

– Écartez-vous du bord et revenez quand on vous appellera.

Murdoch fit signe aux hommes qui se trouvaient aux bossoirs, et le canot n° 1 descendit à la mer avec douze personnes à bord, alors qu'il pouvait en contenir quarante.

Le graisseur Walter Hurst, qui se trouvait plus à l'avant, entendant le grincement des poulies, se pencha pour voir l'embarcation descendre. Il se souviendra plus tard de s'être dit : « S'ils font descendre les embarcations, ils pourraient tout aussi bien faire monter quelqu'un dedans... »

Mais en troisième classe se trouvaient tous les passagers que l'on n'avait même pas essayé de faire monter dans le canot n° 1. Sur le pont E, tout à fait à l'arrière, au pied de leur grand escalier, toute une foule d'hommes et de femmes piétinait. Ces gens se trouvaient là depuis que les stewards leur avaient dit de se lever. D'abord les femmes et quelques couples ; puis les hommes étaient arrivés à l'arrière, traînant leurs bagages. Inquiets, bruyants, serrés les uns contre les autres, dans la lumière crue des lampes électriques, sous ce plafond bas, entre ces murs blancs, ils avaient plutôt l'air de détenus que de passagers.

Le steward de troisième classe, John Edward Hart, s'efforçait de les convaincre de mettre leur ceinture de sauvetage, sans grand succès – parce qu'il ne souhaitait pas les affoler, mais aussi parce que la plupart ne parlaient pas anglais. L'interprète Muller faisait le maximum avec les Finlandais et les Suédois, mais c'était terriblement lent.

A 0 h 30, la passerelle donna l'ordre de faire monter les femmes et les enfants sur le pont des embarcations. Mais on ne pouvait espérer qu'ils trouveraient leur chemin tout seuls jusque-là, au milieu de ce dédale d'escaliers, de passages, de corridors qui leur étaient habituellement interdits. Hart décida de les diviser en petits groupes qu'il accompagnerait l'un après l'autre. Un premier convoi finit par se mettre en route.

C'était un périple compliqué : les grands escaliers jusqu'au salon de troisième classe sur le pont C, la bibliothèque de deuxième classe, les cabines de première classe, le long corridor qui passait devant le cabinet de chirurgie et devant le mess des domestiques des passagers de première classe, et enfin le grand escalier, puis le pont des embarcations.

Hart les conduisit jusqu'au canot n° 8, mais souvent, à peine étaient-ils montés que les passagers retournaient se réfugier à l'intérieur du *Titanic*, où il faisait plus chaud.

Il était 1 heure passée quand Hart se retrouva sur le pont E pour organiser le second voyage. Il ne fut pas moins difficile : beaucoup de femmes refusaient de venir, et beaucoup d'hommes voulaient le suivre. Mais c'était contraire aux ordres qu'il avait reçus.

Il refit le même trajet. Il était 1 h 20 quand son groupe arriva sur le pont des embarcations. Il l'emmena jusqu'au canot n° 15. Mais il était trop tard pour qu'il puisse redescendre encore une fois. Murdoch lui ordonna de monter dans le bateau et, à 1 h 30, il était à la mer avec son deuxième groupe de passagers.

Ce n'était pas une politique brutale et organisée ; on n'abandonnait pas la troisième classe par principe, on agissait au hasard.

D'une façon ou d'une autre, un bon nombre de passagers réussirent à quitter le goulot d'étranglement du pont E. Ils essayèrent de trouver leur chemin, mais il n'y avait personne pour les guider ou les aider. Quelques-unes des portes qu'ils n'avaient pas le droit de franchir étaient ouvertes. Ceux qui les empruntèrent arrivèrent un peu partout sur le navire ;

il y eut même quelques passagers qui parvinrent au pont des embarcations.

Mais il y avait aussi beaucoup de portes fermées. Et ceux des passagers qui, sentant le danger, essayèrent de les forcer ou de les contourner, le firent de leur propre chef et sous leur propre responsabilité.

Quelques-uns partirent à la queue leu leu, comme une file de fourmis, escaladant une grue, marchant en équilibre sur un tangon, arrivèrent à la première classe et, de là, par-dessus le bastingage, au pont des embarcations.

Certains passagers se glissèrent sous une corde tendue en travers d'un pont à l'arrière – et qui les enfermait dans un espace encore plus réduit que la limite habituelle. De là, il leur fut assez facile d'arriver à l'escalier de deuxième classe et aux bateaux.

D'autres encore parvinrent jusqu'au promenoir de deuxième classe, sur le pont B, mais ne purent aller plus loin. Affolés, ils finirent par emprunter une échelle de secours destinée à l'équipage, tout près du restaurant de première classe.

D'autres passagers se mirent à cogner contre les portes fermées à clef et à crier qu'on leur ouvre.

Daniel Buckley montait un escalier qui conduisait à une porte donnant sur la première classe, mais quand l'homme qui montait devant lui y fut arrivé, un matelot qui montait la garde le repoussa brutalement et le fit tomber à la renverse dans l'escalier. Furieux, l'homme se releva et se remit à monter. Le matelot, en le voyant arriver, franchit la porte et la ferma derrière lui. Mais le passager réussit à l'enfoncer et partit en courant à la poursuite de celui qui l'avait frappé. Par la porte enfoncée, en plus de Buckley, quelques douzaines de passagers passèrent en première classe.

A une autre porte, un homme d'équipage empêchait Kathy Gilnagh, Kate Mullins et Kate Murphy de passer. Mais Jim Farrel, un Irlandais du même comté qu'elles, survint à ce moment-là et s'écria d'une voix terrible :

– Mon Dieu ! Laissez passer ces jeunes filles ! Ouvrez cette porte !

Ce fut une étonnante démonstration du pouvoir de l'éloquence ; sans dire un mot, l'homme obéit.

Mais pour chaque passager qui arrivait aux embarcations, il y en avait des centaines qui restaient coincés en troisième classe. Quelques-uns même, découragés, retournèrent dans leur cabine. C'est là que le jeune Martin Gallagher trouva Mary Agatha Glynn et quatre de ses amies. Il les conduisit immédiatement au canot n° 13 et redescendit.

D'autres se mirent à prier. Une heure à peu près après la collision, en traversant la salle à manger de troisième classe, Gus Cohen, un passager de troisième classe, vit qu'un grand nombre de gens s'étaient réfugiés là, et qu'ils étaient presque tous en train d'égrener leurs chapelets.

Le personnel du restaurant français A La Carte était celui qui se trouvait dans la plus mauvaise situation. S'ils n'étaient pas des passagers, ils ne faisaient pas partie de l'équipage non plus. Le restaurant n'était pas géré par la White Star ; c'était M. Gatti qui en avait la concession. Ses employés n'avaient aucune position officielle. Et pour aggraver encore les choses, c'étaient pour la plupart des Français et des Italiens qui, en 1912, n'étaient pas en odeur de sainteté auprès des Anglo-Saxons – c'est le moins que l'on puisse dire ! Ils n'eurent jamais la moindre chance de s'en tirer. Le steward Johnson se souviendra d'avoir vu qu'on les faisait descendre en troupeau jusqu'à leur logement, à l'arrière, sur le pont E. Gatti, le directeur, son chef cuisinier et l'assistant de ce dernier, Paul Maugé, furent les trois seuls qui purent arriver aux embarcations, étant en civil ; les hommes d'équipage les laissèrent passer en croyant qu'ils étaient des passagers.

Aux machines, personne n'eut seulement le temps de songer à se sauver. Les hommes luttaient désespérément pour que la pression ne baisse pas, que l'électricité ne soit pas coupée, que les pompes continuent à fonctionner. Le premier officier mécanicien Bell fit ouvrir toutes les portes des compartiments étanches à l'arrière de la chaufferie n° 4. Quand l'eau arriverait, on pourrait toujours les refermer. Pour le moment, le travail s'en trouvait facilité.

Le graisseur Fred Scott essayait de dégager un camarade coincé dans un tunnel d'hélice derrière l'une de ces portes. Le graisseur Thomas Ranger éteignait le dernier des quarante-cinq ventilateurs de la salle des machines, car ils consommaient trop d'électricité. Le soutier Thomas Patrick Dillon aidait à porter vers l'avant de longs tuyaux pour les adapter aux pompes de la chaufferie n° 4 et augmenter leur débit.

Là, le soutier George Cavell aidait les chauffeurs à éteindre les feux – diminuant ainsi les réserves d'énergie disponibles, mais limitant aussi les risques d'explosion lorsque la mer envahirait la chaufferie.

Il était à peu près 1 h 20, et Cavell avait presque fini quand il vit que l'eau commençait à s'infiltrer entre les tôles du plancher. Il se dépêcha encore plus. Quand l'eau lui arriva aux genoux, il n'en pouvait plus. Il était arrivé presque en haut de l'échelle de secours quand il songea qu'il venait d'abandonner ses camarades. Il redescendit précipitamment ; il n'y avait plus personne en bas. La conscience tranquille, il remonta, cette fois-ci pour de bon.

Presque tous les canots étaient partis. Un à un, ils s'éloignaient du *Titanic*; on entendait les rames battre l'eau calme comme un miroir.

– Je n'ai jamais touché une rame, mais je crois que ça ira, dit un steward à Mme J. Stuart White quand le n° 8 toucha l'eau.

Dans chaque canot, tout le monde avait les yeux fixés sur le *Titanic*. Les quatre énormes cheminées, les grands mâts se profilaient nets et noirs contre la nuit claire. Tous les ponts, tous les hublots étaient éclairés. On pouvait même voir les gens accoudés au bastingage ; on pouvait entendre aussi l'orchestre qui jouait toujours un ragtime. Comment croire que l'immense navire avait été touché à mort ? Et pourtant, les canots étaient bien à la mer, et le paquebot penchait de l'avant. Éclatant de lumière de la poupe à la proue, on aurait dit un gâteau d'anniversaire géant en train de fondre doucement.

Lentement, maladroitement, les canots s'éloignaient du *Titanic*. Ceux qui avaient reçu l'ordre de rester près des passerelles sortaient leurs rames. D'autres, auxquels on avait enjoint de rejoindre le vapeur dont on voyait au loin les feux, commençaient leur épuisant voyage.

Ce vapeur paraissait incroyablement proche, si proche même qu'à un moment, le capitaine Smith ordonna au canot n° 8 de le rejoindre, de décharger ses passagers et de revenir en chercher d'autres. Il demanda aussi à Rowe s'il connaissait le morse.

– Un peu, lui répondit-il.

– Prenez la lampe, appelez ce navire et, quand il répondra, dites-lui : « Ici le *Titanic*, en train de couler. Préparez tous vos bateaux de sauvetage. »

Boxhall avait déjà essayé, en vain, d'entrer en contact avec l'autre navire, mais Rowe voulait absolument y parvenir. Entre chaque fusée, il appelait, appelait. Et aucune réponse. Soudain, Rowe crut voir un autre feu sur la droite. Le vieux capitaine regarda dans ses jumelles : ce n'était qu'une planète. Smith aimait malgré tout l'énergie de ce jeune quartier-maître ; il lui prêta ses jumelles pour qu'il se rende compte par lui-même.

Pendant ce temps, Boxhall envoyait les fusées. Ils arriveraient bien à réveiller ce navire !

Sur la passerelle du *Californian*, le deuxième officier Stone et l'élève officier Gibson comptaient les fusées. Cinq à 0 h 55. Gibson essaya encore d'appeler l'autre navire avec la lampe morse. A 1 heure exactement, il prit ses jumelles. Juste à temps pour voir la sixième fusée.

A 1 h 10, Stone appela le capitaine Lord dans le tuyau acoustique de la salle des cartes et l'informa. Lord demanda :

— Est-ce que ce sont des signaux de compagnie ?

— Je ne sais pas, répondit Stone. On dirait des fusées blanches.

— Continuez à les appeler à la lampe morse.

Un peu plus tard, Stone passa ses jumelles à Gibson.

— Regardez, lui dit-il. C'est curieux, il a l'air bizarrement posé sur l'eau. Regardez ses feux...

Gibson regarda un bon moment. Le gros navire avait l'air d'être incliné. Il avait, comme il le dit plus tard, « tout un côté hors de l'eau ». Stone, à côté de lui, remarqua que son feu rouge avait disparu.

# 5

Les autres navires ne semblaient absolument pas comprendre ce qui se passait. A 1 h 25, l'*Olympic* demanda : « Est-ce que vous faites route au sud pour nous rejoindre ? »

Phillips répondit patiemment : « Nous mettons les canots de sauvetage à la mer avec les femmes et les enfants. »

Après, ce fut le *Frankfort* : « Est-ce qu'il y a déjà des navires avec vous ? »

Phillips ne répondit pas. Mais le *Frankfort* rappela en demandant plus de détails. Phillips en avait assez ; il s'écria :

– Les crétins ! Ils me demandent ce qui se passe !

Furieux, il leur envoya : « Laissez tomber, imbéciles ! »

De temps en temps, le capitaine Smith venait trouver Phillips et Bride – une fois pour leur dire que le courant baissait ; une autre fois, qu'il n'y en avait plus pour bien longtemps ; et enfin, que la chambre des machines était inondée. A 1 h 45, Phillips envoya un message urgent au *Carpathia* : « Arrivez aussi vite que vous pouvez, mon vieux ; chaudières presque noyées. »

Pendant ce temps, Bride mettait un manteau sur les épaules de Phillips et lui attachait sa ceinture de sauvetage. Il eut un peu plus de mal à lui enfiler ses bottes. Phillips demanda s'il y avait encore des bateaux de sauvetage – peut-être, après tout, n'aurait-il pas besoin de bottes.

Il passa les écouteurs à Bride un moment, juste le temps de sortir une minute sur le pont, puis revint en secouant la tête.

– Ça se présente mal !

En effet... Le gaillard d'avant était sous l'eau, de biais. La mer clapotait autour des grues de chargement, des panneaux d'écoutille, au pied du mât, venait mourir au pied des superstructures. Le grondement des jets de vapeur s'était éteint. On ne lançait plus ces fusées dont le bruit mettait les nerfs à vif. Le pont était très incliné et penchait nettement à gauche.

Vers 1 h 40, le second Wilde cria :

– Tout le monde à droite pour le redresser !

Les passagers et l'équipage se précipitèrent, et le *Titanic* se remit lourdement d'aplomb.

A 1 h 45, du canot n° 2 qui était sur l'eau, mais encore amarré au *Titanic*, le steward Johnson appela le pont des embarcations en demandant qu'on lui envoie un couteau pour pouvoir couper les garants. Le matelot McAuliffe lui en envoya un en lui criant :

– N'oublie pas de me le rendre à Southampton !

Probablement le dernier homme à bord à penser encore revoir Southampton un jour...

Murdoch, lui, ne se faisait pas d'illusions. Traversant le pont avec Hardy, le chef steward de la deuxième classe, il lui dit en soupirant :

– Je crois que c'est fini, Hardy...

On n'avait plus aucun mal à persuader les passagers de quitter le bord. Paul Maugé sauta de plus de trois mètres dans un canot qui descendait. D'un pont inférieur, quelqu'un essaya de l'en déloger. Mais il tint bon.

Parvenu sur le pont des embarcations, après l'épisode de la porte enfoncée, Daniel Buckley passa à l'action sans hésiter. Il monta à bord d'un canot avec quelques compagnons, et tout le monde se cacha au fond de l'embarcation. Ils furent découverts et durent ressortir, sauf Buckley, qui se débrouilla pour trouver un grand châle de femme qu'il se mit sur la tête. On a dit que c'était Mme Astor qui le lui donna. Quoi qu'il en soit, le stratagème fonctionna.

Un autre jeune homme eut moins de chance. Le cinquième officier Lowe le découvrit, accroupi sous un banc de nage du canot n° 14. Le jeune homme se mit à pleurer, suppliant qu'on le laisse partir, qu'il ne prendrait pas beaucoup de place. Lowe sortit son revolver de sa poche, mais l'autre se fit encore plus suppliant. Lowe lui demanda fermement de se comporter en homme et finit par réussir à le déloger. Dans le canot, Mme Charlotte Collyer et les autres femmes étaient en larmes ; la petite fille de Mme Collyer s'accrochait à la manche de Lowe en le suppliant :

– Oh ! monsieur, monsieur, ne le tuez pas ! S'il vous plaît, ne le tuez pas !

Lowe se retourna et fit un sourire à la petite Marjory pour la rassurer. De toute façon, il était débarrassé du jeune homme qui, allongé sur le pont, se cachait la figure contre un tas de cordages.

Ailleurs, un groupe d'hommes se précipita pour monter à bord du canot n° 14. Le matelot Scarrott dut se servir de la barre du gouvernail pour les repousser. Lowe ressortit son revolver en criant :

– Si quelqu'un essaie de monter, voilà ce qu'il récoltera !

Et il tira trois coups le long du bord pour donner à l'embarcation le temps de commencer à descendre.

Murdoch arrêta de justesse toute une bande qui s'apprêtait à sauter dans le canot n° 15. Il cria :

– En arrière ! En arrière ! Les femmes et les enfants d'abord !

Tout à fait à l'avant, à l'embarcation de toile C, qu'on avait préparée entre les bossoirs du canot n° 1, c'était beaucoup plus grave. Une foule hurlante était vraiment passée à l'attaque.

Deux hommes réussirent à grimper. Le commissaire McElroy tira deux fois en l'air. Murdoch leur cria :

– Sortez de là ! Sortez de là !

Hugh Woolner et Bjornstrom Steffanson, attirés par le bruit des détonations, arrivèrent en courant. Saisissant les paniquards par les jambes et les bras, ils les traînèrent sur le pont. Puis l'embarquement reprit, plus calmement.

Un peu à l'écart, Jack Thayer était en train de discuter avec Milton Long, un jeune homme de Springfield dont il avait fait la connaissance le soir même, après le dîner. Aussitôt après la collision, Long, qui voyageait seul, s'était joint au groupe des Thayer, mais Jack et lui-même avaient perdu le reste de la famille dans la foule, sur le pont A. Ils se demandaient ce qu'ils devaient faire, espérant seulement que les autres Thayer étaient déjà embarqués. Ils résolurent qu'il valait mieux ne pas monter sur le C qui, avec toute cette agitation, allait certainement se renverser dès qu'il serait à l'eau.

Mais ils avaient tort. Les choses s'arrangèrent petit à petit et, au bout d'un moment, le C était prêt à descendre. Le second, Wilde, demanda qui était responsable à bord. L'entendant, le capitaine Smith se tourna vers Rowe qui faisait toujours ses signaux avec la lampe morse et lui demanda de se charger du C. Rowe sauta à bord.

Le président Bruce Ismay était là, plus calme qu'auparavant, lorsque Lowe l'avait envoyé promener – tout le monde le traitait maintenant comme un membre de l'équipage. C'était un rôle qu'il avait déjà endossé pendant le voyage. A d'autres moments, il avait préféré celui de passager. Il avait ainsi changé plusieurs fois depuis le départ. A Queenstown, il avait joué au super-capitaine, indiquant au premier officier mécanicien la vitesse à atteindre, décidant d'arriver à New York le mercredi matin au lieu du mardi soir, sans même consulter le capitaine Smith. Plus tard, en mer, il avait préféré se fondre parmi les passagers, dégustant la cuisine du restaurant français, jouant au bridge, prenant le thé dans son transat, sur le pont A.

Ce dimanche-là, juste avant le déjeuner, Ismay prenait le soleil sous les palmiers en caisse de la serre, quand le capitaine Smith était venu lui remettre un message du *Baltic* indiquant la présence de glaces flottantes. L'après-midi, Ismay, qui n'aimait pas qu'on oubliât qui il était, l'avait montré avec un air important à Mme Ryerson et Mme Thayer. Plus tard, alors que le soleil rougissant envoyait ses derniers rayons à travers les verres teintés des fenêtres du fumoir, Smith était venu le lui redemander. Ismay le lui avait rendu. Quelques minutes après, il descendait au restaurant, impeccable, l'image même du parfait passager de première classe.

Après la collision, il redevint un membre de l'équipage, d'abord sur la passerelle avec le capitaine, puis en conférence avec le premier officier mécanicien Bell, et maintenant, malgré la rebuffade de Lowe, en train de donner des ordres sur le pont des embarcations. Mais, lorsque le *Titanic* fut donné pour perdu, il changea de rôle une dernière fois. Au dernier moment, il sauta dans le canot C. L'embarcation descendit à la mer avec quarante-deux personnes à bord, dont Bruce Ismay, le président de la compagnie, simple passager parmi les autres.

Personne ne se comporta de la même façon. William T. Stead, indépendant comme toujours, lisait seul dans le fumoir de première classe. Le chauffeur Kemish l'aperçut en passant. Stead donnait l'impression de vouloir rester là quoi qu'il arrive.

Le révérend Robert J. Bateman, de Jacksonville, dit à sa belle-sœur, Mme Ada Balla, qui montait dans un canot :

– Si je ne vous retrouve pas dans ce monde, ce sera dans l'autre.

Au moment où le canot commençait à descendre, il enleva sa cravate et la lui lança en guise de porte-bonheur.

George Widener et John B. Thayer, accoudés au bastingage, commentaient tranquillement la situation. Contrairement à ce que croyait son fils, Thayer était toujours sur le *Titanic* et n'avait pas du tout l'intention de monter à bord d'un canot de sauvetage.

Un peu plus loin, Archie Butt, Clarence Moore, Arthur Ryerson et Walter Douglas formaient un petit groupe silencieux. Butt était tranquille, immobile, sans pistolet, ne se mêlant de rien, bien qu'on ait dit plus tard que c'était lui qui avait pratiquement organisé tout le sauvetage.

Plus à l'arrière, Jay Yates – un joueur professionnel qui, pour ce voyage inaugural, espérait faire un coup d'éclat – était resté seul. A une femme qui montait dans un canot, il tendit une page déchirée de son agenda. Il y avait écrit, et signé d'un de ses nombreux pseudonymes : « Si sauvée, prévenez ma sœur Mme F. J. Adam de Findlay, Ohio. Perdu. J. H. Rogers. »

Ben Guggenheim conçut un message moins laconique : « Si quelque chose devait m'arriver, dites à ma femme que j'ai fait mon devoir. »

Guggenheim ne s'arrêta pas là et fit les choses en grand seigneur. Adieu le chandail qu'Etches l'avait obligé à porter ; adieu la ceinture de sauvetage ! Son valet et lui-même s'étaient vêtus en tenue de soirée.

– Nous nous sommes habillés exprès, expliqua-t-il. Et nous sommes prêts à mourir comme des gentlemen.

Il y avait aussi quelques couples sur le pont : les Allison, qui se souriaient, Mme Allison donnant une main à son mari et l'autre à sa petite fille Lorraine ; les Straus, qui étaient accoudés au bastingage et se tenaient par la taille ; un couple très jeune aussi : quand Lightoller avait demandé à la jeune femme s'il pouvait l'aider à monter dans un canot, elle lui avait répondu gaiement :

– Jamais de la vie ! Nous sommes partis ensemble ; quel que soit l'endroit où nous devons arriver, nous y arriverons ensemble.

Archibald Gracie, Clinch Smith et une douzaine d'autres passagers de première classe aidaient l'équipage à assurer l'embarquement des derniers canots. A Mlle Constance Willard, ils demandèrent en souriant de se montrer courageuse. Des années plus tard, elle se souvenait encore d'avoir remarqué qu'ils suaient à grosses gouttes.

Lightoller transpirait abondamment, lui aussi. Il avait enlevé son manteau, mais, même en sweater et en pyjama, il était en nage. C'était si étrange de voir par cette nuit glaciale un homme à peine habillé, complètement trempé de sueur ! L'assistant du chirurgien, Simpson, qui aimait bien blaguer, ne put s'empêcher de lui demander :

– Alors, Lights, on a chaud ?

Aux côtés de Simpson, le vieux docteur O'Loughlin, le commissaire McElroy et son assistant Barker. Lightoller vint les trouver ; ils se serrèrent la main et se dirent au revoir. Pas le temps de faire plus. Un coup d'œil du haut de l'escalier de secours : l'eau était déjà arrivée au pont C. Elle montait vite. Pourtant, les lumières brillaient toujours, l'orchestre jouait encore avec ardeur.

Plus que deux canots. L'un d'eux, le n° 4, avait été une source d'ennuis depuis le début. Une heure auparavant, Lightoller l'avait fait descendre au niveau du pont A. Il voulait le charger à partir de là. Mais les fenêtres du pont étaient fermées. Ensuite, quelqu'un s'aperçut que l'espar de la sonde se trouvait juste en dessous du bateau. Le matelot Sam Parks et le magasinier Jack Foley descendirent pour le couper, mais eurent du mal à trouver une hache. On perdit un temps précieux. Lightoller partit aux autres canots. Il s'occuperait de celui-là plus tard.

Pendant ce temps, les passagers qui attendaient de monter dans le n° 4 se gelaient. Les Astor, les Widener, les Thayer, Carter et Ryerson, pas moins, s'étaient tous regroupés et ne se quittaient pas. Quand on avait donné l'ordre d'embarquer la première fois, les femmes, les enfants, les bonnes, les nurses, tout le monde était descendu ensemble sur le pont-promenade. Et, quand on leur avait dit d'attendre, ils avaient obtempéré.

Puis tous les maris étaient arrivés les uns après les autres, et tous ces gens, la crème de la société de New York et de Philadelphie, avaient passé plus d'une heure dans le froid.

On les fit remonter sur le pont des embarcations. Le deuxième steward Dodd les fit redescendre. Exaspérée, Mme Thayer s'écria :

– Qu'on nous dise quoi faire une fois pour toutes, et nous le ferons ! Vous venez de nous dire de monter, et maintenant vous nous dites de redescendre !

Il était 1 h 45 quand Lightoller revint et se posta debout, un pied sur l'encadrement d'une fenêtre et l'autre sur le plat-bord de l'embarcation. Quelqu'un apporta une chaise pour aider les gens à monter.

John Jacob Astor aida sa femme à passer par la fenêtre, puis il demanda s'il pouvait monter avec elle. Elle était, suivant sa propre expression, « dans une situation intéressante »...

– Non, monsieur, répondit Lightoller. Aucun homme ne peut monter avant que toutes les femmes ne soient embarquées.

Astor demanda quel était le numéro de l'embarcation.

– Le n° 4, lui répondit Lightoller.

Pour le colonel Gracie, Astor souhaitait simplement pouvoir retrouver facilement sa femme ; pour Lightoller, Astor ne cherchait qu'à se plaindre.

Puis ce fut le tour des Ryerson. Arthur Ryerson s'aperçut que leur bonne française, Victorine, n'avait pas de ceinture de sauvetage. Il enleva immédiatement la sienne et la lui passa autour du corps. Quand

Mme Ryerson poussa son fils Jack vers la fenêtre, Lightoller s'interposa :

— Il ne peut pas monter !

M. Ryerson s'écria d'un ton indigné :

— Mais bien sûr qu'il peut monter avec sa mère ! Il n'a que treize ans !

Lightoller le laissa passer en grommelant :

— Pas d'autre !

A 1 h 55, le canot n° 4 touchait l'eau, cinq mètres plus bas seulement. Mme Ryerson eut un choc en voyant à quel point le paquebot s'était enfoncé. L'eau s'engouffrait par les hublots carrés du pont C ; on voyait les meubles de style flotter dans les cabines de luxe. Levant les yeux vers le pont-promenade, elle vit M. Ryerson et M. Widener qui, accoudés au bastingage, les regardaient descendre. Ils avaient l'air très calme.

Plus qu'un canot. Le D avait été placé entre les bossoirs du n° 2 et était prêt à être chargé. Il n'y avait pas une minute à perdre. Les lampes électriques faiblissaient ; on entendait des bruits de vaisselle fracassée, quelque part en bas. A côté de Jack Thayer, un homme passa en titubant, une bouteille de gin à la main. Il la porta à sa bouche et but une longue rasade. « Si jamais j'en sors vivant, se dit Jack Thayer, en voilà un que je ne reverrai sûrement pas. » Il se trompait pourtant : l'ivrogne fut l'un des premiers survivants qu'il reconnut.

Lightoller ne voulait pas prendre de risques. Presque tout le monde s'était réfugié à l'arrière. Il ne restait maintenant qu'un canot : quarante-sept places pour mille six cents personnes... Il ordonna aux hommes de l'équipage de faire un cercle autour de l'embarcation en se donnant la main, et de ne laisser passer que les femmes.

Deux très jeunes garçons furent amenés jusqu'au cordon de sécurité par leur père. On alla les porter à bord. Le père se retira dans la foule après avoir dit qu'il s'appelait M. Hoffmann et qu'il allait rendre visite à sa famille, en Amérique. En réalité, il s'appelait Navatril, et c'étaient les enfants de sa femme, dont il était séparé, qu'il venait de kidnapper.

Henry B. Harris accompagna sa femme jusqu'au canot. Quand il s'entendit dire qu'il ne pouvait aller plus loin, il répondit en soupirant :

– Oui, je sais... Je reste ici.

Le colonel Gracie fendit la foule en entraînant derrière lui Mme John Murray Brown et Mlle Edith Evans, deux des cinq « dames seules » auxquelles il avait offert ses services pour le voyage. Les hommes d'équipage laissèrent seulement passer les dames. Elles arrivèrent au canot D juste au moment où celui-ci allait descendre. Alors Mlle Evans se tourna vers Mme Brown et lui dit :

– Montez. Vous avez des enfants qui vous attendent à la maison.

Elle aida Mme Brown et, aussitôt, quelqu'un cria d'envoyer. A 2 h 05, le dernier canot était mis à la mer.

Juste en dessous, Hugh Woolner et Bjornstrom Steffanson étaient seuls sur le pont A. Ils n'avaient encore guère eu le temps de souffler – ils s'étaient occupés de Mme Candee, avaient essayé de faire embarquer les Straus, puis avaient fait sortir les hommes qui étaient montés de force dans le C. Maintenant, il n'y avait absolument plus personne à aider là où ils se trouvaient.

Les lampes menaçaient de s'éteindre. On y voyait de moins en moins.

– Ça commence à être juste, dit Woolner. Partons d'ici !

Ils allaient arriver au pont-promenade quand l'eau, tout d'un coup, les rejoignit. En un instant, ils en avaient jusqu'aux genoux. Ils sautèrent sur le bastingage. A trois mètres d'eux, ils virent le D qui descendait le long du bord. C'était maintenant ou jamais.

– Allons-y, sautons ! s'écria Woolner. Il y a de la place à l'avant !

Steffanson s'élança et tomba la tête la première dans le canot. Quant à Woolner, il faillit bien le manquer. Quelques instants plus tard, le D touchait l'eau.

Tandis qu'ils commençaient à s'éloigner, le matelot William Lucas cria à Mme Evans, qui les regardait du pont du *Titanic* :

– On est en train de préparer un autre canot pour vous !

# 6

Tous les canots partis, un curieux silence parut s'emparer du *Titanic*. Plus d'agitation, plus de désordre ; les centaines de personnes encore à bord, groupées sur les ponts supérieurs, restaient immobiles. On aurait dit qu'elles évitaient de sortir, qu'elles cherchaient à rester le plus loin possible du bord.

Sur le côté droit du pont des embarcations, Jack Thayer et Milton Long restèrent un moment près d'un bossoir inoccupé qui se profilait contre l'horizon et leur servait de repère pour estimer à quelle vitesse le *Titanic* s'enfonçait dans l'eau. Ensuite, leur regard se porta sur les hommes qui essayaient de dégager les deux embarcations de toile arrimées au-dessus des cabines des officiers. Puis, ils s'échangèrent des messages pour leurs familles. Finalement, ils restèrent silencieux, Thayer revoyait les meilleurs moments de son existence, imaginait toutes les choses qu'il ne connaîtrait jamais, pensait à son père, à sa mère, à ses sœurs, à son frère. Il se sentait loin, très loin ; il avait l'impression que ses souvenirs lui venaient d'un monde étranger. Son sort lui apparaissait désespéré et misérable.

A quelques mètres de là, le colonel Gracie avait la conviction que les jeux étaient faits.

Plus tard, il devait expliquer avec une certaine suffisance que c'était ce qu'on éprouve lorsque « *vox faucibus hacsit* [1], comme dit le vieux héros troyen de notre enfance ». Sur le moment, il n'avait rien trouvé d'autre à se dire – plus prosaïquement – que : « Adieu tout le monde... »

A la radio, on n'avait pas le temps de s'apitoyer sur son propre sort ou de citer Homère. Phillips était toujours devant son poste, mais l'électricité baissait de plus en plus ; à côté de lui, Bride regardait les hommes qui, là-bas, fouillaient les cabines des officiers et le gymnase pour essayer d'y trouver des ceintures de sauvetage.

A 2 h 05, le capitaine Smith entra pour la dernière fois et leur dit :

– Vous avez fait votre devoir. Vous ne pouvez rien faire de plus. Abandonnez votre cabine. Maintenant, c'est chacun pour soi.

Phillips leva les yeux une seconde et se pencha de nouveau sur son poste. Smith essaya encore une fois de les convaincre :

– Occupez-vous de vous. Je vous libère.

Un moment de silence, puis il ajouta doucement :

– Voilà où nous en sommes...

Phillips continua toutefois à travailler pendant que Bride rassemblait leurs papiers. Smith retourna sur le pont des embarcations. Au chauffeur James McGann, il dit aussi :

– Eh bien ! maintenant, c'est chacun pour soi.

Et au graisseur Alfred White :

– Messieurs, maintenant, c'est chacun pour soi.

---

1. La gorge est nouée.

Au steward Edward Brown :

– Faites tout votre possible pour les femmes et les enfants... et pour vous-même.

Et, aux hommes qui travaillaient aux deux canots de toile au-dessus des cabines des officiers :

– Vous avez fait votre devoir. Maintenant... chacun pour soi.

Et il retourna sur la passerelle.

Quelques hommes prirent le capitaine au mot et plongèrent par-dessus bord. Le boulanger de nuit Walter Belford sauta aussi loin et aussi vite qu'il put. Des années après, il frissonnait encore au souvenir de ce premier contact avec l'eau glacée. Le graisseur Fred Scott essaya d'attraper un cordage qui pendait jusqu'à la mer, le manqua et tomba à plat-ventre dans l'eau. Il fut recueilli par le canot n° 4, qui se trouvait encore le long du bord, mais essayait de s'en éloigner pour éviter les barriques, les chaises et tous les meubles qui jonchaient déjà la mer. Le steward Cunningham fit lui aussi le grand saut et réussit à rejoindre le n° 4.

Toutefois, dans sa grande majorité, l'équipage resta à bord du *Titanic*. Lightoller aperçut, sur le toit des cabines des officiers, le soutier Hemming qui travaillait à dégager l'un des deux canots. Hemming aurait dû être parti depuis longtemps. Il avait été désigné pour faire partie de l'équipage du canot n° 6.

– Pourquoi n'êtes-vous pas parti, Hemming ?

– Oh ! j'ai le temps !

Tout près, deux jeunes stewards, désœuvrés, regardaient Lightoller, Hemming et tous les autres travailler. Accoudés au bastingage, ils discutaient pour savoir combien de temps encore le navire resterait à flot ; sous la lueur rougeâtre des lampes presque éteintes, leurs vestes faisaient des taches d'une éclatante blancheur. Il y avait bien une quinzaine de jeunes garçons de cabine sur le pont, qui, comme eux, n'avaient pas l'air de s'en faire, trop heureux de pouvoir fumer sans qu'on le leur reproche.

Près de là, un petit homme très agité, T.W. McCawley, professeur de gymnastique, était en train d'expliquer pourquoi il ne voulait pas porter de ceinture de sauvetage. « Ça vous soutient sur l'eau, expliquait-il, mais ça vous freine. »

Il croyait qu'il nagerait mieux sans ceinture.

Tout près du grand escalier, entre la première et la deuxième cheminée, les musiciens – qui maintenant portaient une ceinture de sauvetage par-dessus leur veste – jouaient toujours leur ragtime avec le même entrain.

Les passagers, dans leur grande majorité, restaient calmes. Il se trouva parmi eux quelques plongeurs : Frederick Hoyt aperçut sa femme dans le canot D, sauta et nagea vers l'endroit où le canot allait passer ; quelques minutes plus tard, le D arrivait sur lui et on le hissait à bord. Tout le reste de la nuit, trempé, il rama aussi fort qu'il put pour éviter de mourir de froid.

Les autres n'eurent pas cette audace. Certains se contentèrent de faire les cent pas sur le pont des embarcations. La haute société de New York et de Philadelphie formait toujours le même petit groupe compact autour de John B. Thayer, George et Harry Widener, Duane Williams. A quelque distance se tenaient des personnalités de moindre rang, tels Clinch Smith ou le colonel Gracie. Astor demeurait seul, à l'écart, et les Straus étaient assis dans un transat, sur le pont.

Jack Thayer et Milton Long se demandaient s'il ne valait pas mieux sauter. Le bossoir qui leur servait de repère leur montrait que le *Titanic* s'enfonçait de plus en plus vite. Thayer était de l'avis de sauter, d'attraper un garant, de se laisser glisser en bas et de nager jusqu'aux canots qu'on pouvait encore entrevoir à cinq ou six cents mètres de là. Il était bon nageur. Long, qui ne l'était pas, était de l'avis contraire, et réussit à convaincre Thayer qu'il valait mieux ne pas essayer.

Plus à l'avant, le colonel Gracie prêta son canif aux hommes qui essayaient toujours de dégager les bateaux arrimés au-dessus des cabines des officiers.

Des passagers de troisième classe arrivaient par petits paquets sur le pont des embarcations ; d'autres se réfugiaient vers l'arrière, qui s'élevait toujours davantage au-dessus de l'eau. La poupe, qui était normalement réservée à la troisième classe, devenait subitement le centre d'attraction général.

Olaus Abelseth faisait partie de ces derniers arrivés. Jusqu'alors, il avait passé la plus grande partie de la soirée à l'arrière, avec son cousin, son beau-frère et deux Norvégiennes, au milieu de tous ces hommes et de toutes ces femmes qui avaient vainement attendu qu'on leur dise enfin ce qu'ils devaient faire.

A 1 h 30, un officier avait ouvert une porte donnant sur la première classe et avait annoncé que les femmes devaient monter sur le pont des embarcations. A 2 heures, on avait laissé passer les hommes. Beaucoup d'entre eux avaient préféré rester où ils étaient ; ce serait le dernier endroit où la mer les rejoindrait. Mais Abelseth et sa bande étaient montés avec l'idée qu'il y avait peut-être encore un canot disponible. Le dernier était en train de partir quand ils parvinrent sur le pont.

Ils restèrent là un bon moment, aussi surpris de se trouver en première classe, eux, des passagers de troisième, que des circonstances qui les avaient obligés à y venir.

Un officier demanda :

– Y a-t-il des hommes de mer ?

Abelseth, vingt-sept ans, avait passé seize années en mer ; il voulut répondre. Mais son cousin et son beau-frère le supplièrent de n'en rien faire, lui disant :

– Non, non, restons ensemble !

Mais ils se sentaient mal à l'aise et restaient silencieux. Ce fut encore pire quand M. et Mme Straus vinrent dans leur direction.

– Je t'en prie, disait le vieux monsieur à son épouse, je t'en prie, monte dans un canot.

– Non, répondait la vieille dame, je veux rester avec toi.

Abelseth fit demi-tour pour regarder ailleurs.

A l'intérieur même du navire, le silence qui régnait dans les pièces désertes avait en lui-même une sorte d'intensité dramatique. Les lustres de cristal du restaurant français accusaient l'inclinaison du navire. Toujours allumés, ils éclairaient les boiseries fauves et le tapis rose. Plusieurs des petites lampes aux abat-jour de soie – une sur chaque table – étaient tombées par terre. Quelqu'un fouillait dans l'office, sans doute à la recherche de quelque remontant.

Le salon Louis XV, avec sa grande cheminée, était complètement désert et silencieux. Quelques heures plus tôt à peine, des messieurs et des dames en robe de soirée étaient encore en train d'y prendre leur café en bavardant, tandis que les musiciens jouaient de la musique douce, ces mêmes musiciens qui maintenant jouaient des morceaux sur un rythme endiablé.

Personne non plus dans le fumoir, ou presque. Un steward, passant par là à 2 h 10, eut la surprise d'y trouver Thomas Andrews, tout seul, sa ceinture de sauvetage défaite à côté de lui sur une table de bridge. Les bras croisés, il avait l'air assommé ; de tout son allant, de toute son énergie, plus aucune trace. Un moment de silence, et le steward lui demanda timidement :

– Vous ne voulez pas essayer de vous sauver, monsieur Andrews ?

Pas de réponse ; pas le moindre signe que Thomas Andrews l'eût entendu. Le constructeur du *Titanic* regardait vers l'arrière, les yeux perdus. Devant lui, accroché sur les panneaux d'acajou de la cloison, un grand tableau : *L'Arrivée au Nouveau Monde.*

Dehors, la foule attendait toujours ; l'orchestre jouait. Quelques personnes priaient ensemble sous la direction du révérend Thomas R. Byle. D'autres semblaient perdus dans leurs pensées. Il y avait, dans de telles circonstances, bien des sujets de réflexion.

Le capitaine Smith, par exemple, pouvait méditer sur les cinq messages l'avertissant de la présence de glaces flottantes, cinq messages qu'il avait reçus le même jour, donnant la position des icebergs ; et aussi sur le thermomètre, qui avait baissé de 6 °C à 19 heures, à 0 °C à 22 heures ; et sur la température de la mer, qui était tombée à – 1 °C à 22 h 30.

Le radio, Jack Phillips, pouvait méditer sur le sixième message – celui que le *Californian* lui avait envoyé en plein trafic et qu'il n'avait pas écouté. Ce message-là n'était jamais arrivé à la passerelle.

George Q. Cliffort, de Boston, avait au moins la satisfaction de pouvoir se dire qu'il avait pris une assurance vie supplémentaire de 50 000 dollars juste avant ce voyage.

M. Straus pouvait goûter l'ironie de son testament, dans lequel il demandait notamment à son épouse « d'être un peu plus égoïste et de ne pas toujours penser uniquement aux autres ». Elle s'était tellement dévouée à lui pendant toute sa vie qu'il tenait à ce qu'elle s'occupe un peu d'elle-même après sa mort.

Dans de tels moments, d'étranges détails reviennent à l'esprit. C'est ainsi que Mlle Evans se souvenait qu'une tireuse de cartes lui avait recommandé une fois de « faire attention à l'eau ». William T. Stead était hanté par un rêve qu'il avait eu, et dans lequel quelqu'un lançait des chats par une fenêtre, tout en haut d'une maison. Quant à Charles Hays, il avait prédit quelques heures seulement avant la collision qu'allait survenir bientôt « le plus grand et le plus impressionnant de tous les désastres maritimes ».

Deux hommes au moins pouvaient se demander ce qu'ils faisaient là. Archie Butt, qui n'avait jamais eu l'intention de quitter les États-Unis, mais qui avait eu besoin de se reposer (c'était Frank Millet qui avait donné au président Taft l'idée de l'envoyer porter un message au pape – mission officielle, mais printemps romain). Quant au second Wilde, il n'aurait pas dû se trouver à bord du *Titanic*. Il appartenait à l'*Olympic*, mais la White Star l'avait envoyé à la dernière minute sur le *Titanic*, pour ce voyage seulement, pensant que son expérience serait utile. Wilde, lui, s'était réjoui de son sort.

Pendant ce temps, Phillips faisait tout ce qu'il pouvait pour continuer à émettre. Il envoya deux « V » à

2 h 10 – que reçut faiblement le *Virginian* – pour essayer de trouver un meilleur réglage.

Bride faisait un tour d'inspection. En revenant dans leur cabine, il vit qu'on y avait amené une femme évanouie. Il lui donna une chaise et alla lui chercher un verre d'eau pendant que son mari l'éventait. Enfin, elle revint à elle et repartit avec son mari.

Ensuite, Bride entra dans leur cabine. Il mit dans sa poche quelques pièces de monnaie qui traînaient, jeta un dernier coup d'œil sur sa couchette en désordre et repassa de l'autre côté du rideau. Phillips était toujours penché sur son poste, complètement absorbé par son travail ; un chauffeur était là, en train de lui défaire sans bruit sa ceinture de sauvetage.

Bride sauta sur lui. Phillips bondit sur ses pieds, et ce fut un corps à corps. Finalement, Bride réussit à le ceinturer et Phillips lui cogna dessus jusqu'à ce qu'il s'écroule.

Une minute plus tard, la mer envahissait la passerelle. Phillips s'écria :

– Allons-y ! Fichons le camp !

Bride laissa tomber le chauffeur et les deux hommes s'élancèrent sur le pont des embarcations.

Phillips disparut vers l'arrière. Bride alla rejoindre les hommes qui s'efforçaient toujours de dégager les deux embarcations de toile sur le toit des cabines des officiers. Quel drôle d'endroit pour ranger des canots de sauvetage ! Surtout quand il n'y en avait que vingt pour 2 207 personnes ! L'inclinaison du pont avait rendu assez difficile la mise à l'eau des deux autres, qui étaient pourtant rangés juste derrière les premiers bossoirs. Il serait pratiquement impossible d'arriver à quoi que ce soit avec ces deux-là.

On ne renonçait pas pour autant. Mais peut-être pourrait-on tout simplement les faire flotter quand la mer aurait monté jusqu'à leur niveau ? Et tout le monde continuait à s'acharner – Lightoller, Murdoch, le soutier Hemming, le graisseur Hurst et une douzaine d'autres.

Sur le côté gauche, Hemming était en train de se débattre avec une poulie du B. S'il pouvait seulement donner un peu de jeu au garant, il était sûr qu'on pourrait mettre le canot à l'eau. Il finit par démêler le garant, passa la poulie au sixième officier Moody sur le toit, mais celui-ci lui répondit :

– Pas besoin de la poulie. On va simplement laisser le canot sur le pont.

Hemming pensait que l'on n'arriverait jamais à mouiller correctement l'embarcation de cette façon. Dépité, il jeta l'éponge et chercha son salut dans le plongeon.

Les autres poussèrent le canot au bord du toit et le firent basculer sur le pont, où il tomba sens dessus dessous, la quille en l'air.

A droite, on avait autant d'ennuis avec le A. Quelqu'un accota des planches contre les cabines pour former un plan incliné, puis on essaya de le faire descendre, l'avant en premier. Mais le *Titanic* penchait tellement à gauche qu'il fallut pousser le canot vers le haut pour arriver à le faire descendre sur le pont.

A 2 h 15, les hommes étaient encore en train de se démener quand la mer envahit la passerelle et, de là, le pont des embarcations. Le colonel Gracie et Clinch Smith se dirigèrent vers l'arrière, mais ils n'avaient pas fait dix pas qu'ils se trouvèrent bloqués par toute une foule d'hommes et de femmes qui remontaient des ponts inférieurs, sans doute des passagers de troisième classe.

A ce moment, le chef d'orchestre Hartley tapa sur son violon avec son archet. Le ragtime s'interrompit et fit place à l'hymne anglican *Automne*, dont les accents s'en allèrent mourir sur la mer.

Dans les embarcations de sauvetage, chacun se tut et écouta, silencieux, émerveillé. De loin, c'était d'une grandeur déchirante, un moment unique. Mais de près, c'était tout autre chose. Les hommes entendaient bien la musique, mais ils n'avaient guère le temps d'y prêter attention. Les événements se précipitaient.

Peter Daly, représentant à Lima de la firme londonienne Haes and Sons, regardait l'eau monter vers lui quand une femme lui cria :

– Oh ! Sauvez-moi ! Sauvez-moi !

– Madame, lui répondit-il, sauvez-vous vous-même. Il n'y a que Dieu qui puisse vous sauver, maintenant.

Mais elle le supplia de l'aider à plonger ; il ne pouvait pas lui refuser son aide aussi légèrement. Il la prit par le bras et l'aida à sauter par-dessus bord, puis il plongea lui-même. A ce moment, une grosse vague vint déferler sur le pont. Elle le sauva en l'entraînant à bonne distance du *Titanic*.

Les pieds dans l'eau, le steward Brown peinait à pousser le canot A jusqu'au bord du pont. Tout d'un coup, il se rendit compte que ce n'était plus la peine de continuer : le canot flottait. Il sauta dedans, coupa l'amarre à l'arrière, cria qu'on libère l'avant, et, un instant plus tard, la vague qui avait dégagé Peter Daly l'entraînait lui aussi.

La proue du *Titanic* s'enfonçait toujours plus bas, tandis que sa poupe s'élevait toujours plus haut en même temps qu'elle avançait sur l'eau. C'est ce mouvement d'arrière en avant qui donna naissance à la vague qui entraîna Daly, Brown et des dizaines d'autres personnes.

Du toit des cabines des officiers, Lightoller vit la vague arriver. La foule reculait vers l'arrière ; les moins rapides furent happés par l'eau mais les plus agiles échappèrent. Il savait que ceux-là n'étaient pas sauvés pour autant. Il fit volte-face et, tourné vers l'avant, plongea. En remontant à la surface, il vit, juste en face de lui, à la surface de l'eau, le nid-de-pie. Une sorte d'instinct irraisonné le saisit et il se mit à nager de toutes ses forces dans cette direction, comme vers un refuge. Mais il se reprit à temps : il fallait s'éloigner du navire. Juste devant la première cheminée, la mer s'engouffrait dans les manches à air ; il fut tiré en arrière par un courant irrésistible qui vint le plaquer contre le grillage en fer de l'embouchure de l'une d'elles. Il pria pour que le grillage tînt bon. Combien de temps pourrait-il tenir, lui aussi, cloué de la sorte ? Mais une violente bouffée d'air chaud refoulée de l'intérieur du navire le projeta comme une balle de ping-pong à la surface de l'eau. A moitié étouffé, il se remit à nager et réussit enfin à s'éloigner pour de bon.

Harold Bride, lui aussi, réfléchit avant d'agir. Au moment où la vague arrivait, il s'accrocha au plat-bord du canot B qui était toujours renversé sur le pont, près de la première cheminée. Le bateau et des douzaines de personnes furent entraînés à la mer, et Bride se retrouva à l'eau, emprisonné sous la coque du canot.

Le colonel Gracie eut moins de bon sens – il resta dans la foule et ne sauta que lorsque la vague arriva, comme l'eût fait un baigneur. Il attrapa au passage un barreau du bastingage qui courait au-dessus des cabines des officiers et, la vague passée, tenta de se remettre debout, mais bientôt le toit lui-même s'enfonçait sous l'eau et Gracie était entraîné dans un tourbillon. Il finit par se rendre compte que c'était le bastingage qui l'entraînait vers le fond, le lâcha, donna un violent coup de pied, nagea sous l'eau aussi longtemps qu'il put et finit par se retrouver en sécurité, à bonne distance du *Titanic*.

Le cuisinier John Collins, un bébé dans les bras, ne put rien faire lorsque la vague arriva. Depuis un bon moment, il essayait, avec l'aide d'un steward, d'assister une passagère de troisième classe flanquée de deux enfants en bas âge. On leur avait d'abord appris qu'il y avait encore un canot sur le côté gauche. Ils y avaient couru. Là, on leur avait dit que l'embarcation se trouvait en fait sur le côté droit, où, cette fois, on leur assura que la meilleure chose à faire, c'était d'aller tout à fait à l'arrière. Ils étaient encore en train de se demander ce qu'ils devaient faire quand la vague arriva et balaya tout le monde par-dessus bord. Collins ne revit jamais ni les autres ni le bébé, qui lui fut arraché des bras par la violence de la lame.

Jack Thayer et Milton Long virent eux aussi la vague arriver. Ils s'appuyèrent contre le bastingage, à la hauteur de la deuxième cheminée, pour éviter d'être entraînés par la foule qui courait vers l'arrière. Ils sentirent que le moment était venu de sauter. Aller plus à l'arrière ne servirait à rien. Ils se donnèrent la main et se souhaitèrent bonne chance. Long enjamba le bastingage, tandis que Thayer, les jambes écartées, déboutonnait son manteau. Long, pendu par les mains au bastingage, regarda Thayer et lui dit :

– On y va ?

– Allez-y. Je vous rejoins, le rassura Jack.

Long se laissa glisser face au navire. Dix secondes plus tard, Thayer s'asseyait sur le bastingage, face à la mer, à trois mètres à peu près au-dessus de l'eau. Une brusque détente, et il sauta le plus loin possible du bord. Des deux méthodes, la meilleure fut celle de Jack Thayer.

La vague n'atteignit pas Olaus Abelseth, qui se trouvait à la hauteur de la quatrième cheminée, loin en arrière, sur cette partie du navire qui, au lieu de s'enfoncer, montait de plus en plus haut.

Abelseth entendit un craquement, des coups sourds, des bruits de vaisselle brisée et de meubles qui s'écrasaient les uns contre les autres. Le pont était tellement incliné que l'on ne pouvait plus rester debout. Des gens dégringolaient par paquets, dévalant le long du pont jusque dans l'eau, où ils disparaissaient les uns après les autres.

Abelseth et sa bande se tenaient à un cordage.

– On ferait mieux de sauter maintenant, sinon nous serons aspirés au fond tout à l'heure, jugea son beau-frère.

– Non ! dit Abelseth. Pas encore ! Il n'y en a plus pour bien longtemps, de toute façon ; on peut aussi bien attendre jusqu'au dernier moment.

– Il faut sauter ! supplia son beau-frère.

Mais Abelseth refusa net encore une fois.

– Non, pas encore !

Un moment après, l'eau n'était plus qu'à 1,50 mètre d'eux. Les trois hommes sautèrent, se tenant, tous les trois par la main. Abelseth avait les pieds pris dans une corde. Il lâcha les autres pour pouvoir se dégager, mais, quand il se fut débarrassé de la corde, il était désormais seul. « Je suis fichu ! », se dit-il.

Dans ce maelström de cordages, de meubles, de planches et d'eau bouillonnante, personne ne savait plus où était personne. Des canots, on voyait des essaims, des grappes d'êtres humains qui s'accrochaient à toutes les superstructures, à toutes les aspérités. Sur place, il était pratiquement impossible de se rendre compte de quoi que ce soit. Les lampes électriques étaient toujours allumées, mais elles ne répandaient plus qu'une très faible lueur.

A en croire ce qu'on a raconté plus tard, Archie Butt a connu une douzaine de fins différentes, toutes aussi courageuses les unes que les autres – et toutes aussi fantaisistes ! Pour certain journal, il aurait dit à Mlle Marie Young, professeur de musique des enfants de Teddy Roosevelt : « Au revoir, mademoiselle Young, rappelez-moi au souvenir de tous les autres. » D'autres journaux ont aussi écrit que Mlle Young était certaine d'avoir vu l'iceberg une bonne heure avant la collision.

Dans une interview attribuée à Mme Henry B. Harris, Archie Butt est décrit comme l'ange gardien des faibles et des isolés, se servant de ses poings par ici, aimable et complaisant par là. Pourtant, ni Lightoller, ni Gracie, ni aucun de ceux qui travaillaient aux embarcations ne se souvient de l'avoir jamais vu à l'œuvre. Mme Walter Douglas, elle, l'a aperçu près du canot n° 2 vers 1 h 45 ; il se tenait tranquillement à l'écart, occupé... à ne rien faire !

Quant à John Jacob Astor... Le coiffeur August H. Weikman a décrit les derniers moments qu'il a passés avec le grand millionnaire – une véritable conversation de salon de coiffure, banale en diable : « Je lui demandai s'il accepterait de me serrer la main. Il me répondit : "Avec plaisir." » Pourtant, Weikman dit par ailleurs qu'il a quitté le navire à 1 h 50, une bonne demi-heure avant la fin...

La fin de Butt et celle d'Astor furent également associées l'une à l'autre dans une histoire attribuée à Washington Dodge : « Ils disparurent sous la mer l'un à côté de l'autre, debout sur la passerelle. Je les ai reconnus sans aucun doute possible. » En réalité, au moment où le *Titanic* disparut sous les flots, Washington Dodge se trouvait à un bon demi-mille du bord, dans le canot n° 13...

Personne non plus n'a jamais vraiment su ce qu'il advint du capitaine Smith. On a dit plus tard qu'il s'était tiré une balle dans la tête, sans le moindre soupçon de preuve. Juste avant la fin, le steward Edward Brown le vit traverser la passerelle, son mégaphone à la main. Une minute plus tard, le soutier Hemming montait sur la passerelle ; il n'y avait plus personne. Après que le *Titanic* eut coulé, le chauffeur Harry Senior le vit en train de nager, un bébé dans les bras. Cette version, bien plus que celle du suicide, correspond à l'image que l'on est en droit de se faire de cet homme qui avait déclaré un jour : « Un certain émerveillement me saisit toujours lorsque, de la passerelle, je vois mon navire plonger et se redresser sans cesse sur la mer pour se frayer son chemin à travers les lames. C'est un sentiment que l'on n'oublie jamais lorsqu'on l'a éprouvé une fois. »

Aux yeux de tous ou de personne, les grands comme les humbles, les inconnus, tombaient, s'enchevêtraient en une masse indistincte, qui s'accrochait où elle le pouvait, au fur et à mesure que le navire se rapprochait de la verticale. Les derniers accords d'*Automne* moururent sous un éboulement de musiciens et d'instruments. Les lumières s'éteignirent, se rallumèrent, s'éteignirent pour de bon. Il ne restait plus qu'une simple lampe à pétrole brûlant encore au bout du mât.

Les cognements sourds, les bruits de verre se faisaient de plus en plus forts. C'était même une sorte de grondement ininterrompu qui venait maintenant de l'intérieur du navire. Tout ce qu'il contenait chavirait vers l'avant.

Et c'était un mélange, un amalgame incroyable – vingt-neuf chaudières, un manuscrit unique des *Rùbayat* d'Omar Khayyam ; huit cents caisses de noix ; quinze mille bouteilles de bière ; les énormes chaînes d'ancre (dont chaque maillon pesait près de 80 kilos) ; trente caisses de clubs de golf et de raquettes de tennis pour A. G. Spaulding ; le trousseau d'Eleanor Widener ; des tonnes de charbon ; la petite boîte métallique du major Peuchen ; 30 000 œufs frais ; des douzaines de palmiers en pots ; cinq pianos à queue ; sans compter les plantes grimpantes, le lierre, les fauteuils d'osier du Café Parisien, le central téléphonique avec ses cinquante lignes, les deux moteurs à explosion et la turbine à basse pression d'un type révolutionnaire, les huit douzaines de balles de tennis pour R. F. Downey et Cie, la caisse de porcelaine pour Tiffany's, la caisse de gants pour Marshall Field, l'étonnante machine à faire de la glace du pont G, la voiture anglaise toute neuve de Billy Carter, les seize malles des Ryerson préparées avec amour par Victorine.

Soudain, la cheminée avant fut pliée en deux et se fractura. Elle alla s'écraser dans l'eau sur le côté droit, dans un nuage d'étincelles et dans un bruit de tonnerre, qui domina de loin tout le vacarme ambiant. Le graisseur Walter Hurst, qui essayait de surnager au milieu de la mer bouillonnante et tourbillonnante, fut à moitié aveuglé par la suie. Il réussit à s'en sortir, mais beaucoup de nageurs furent écrasés par l'immense tuyau d'acier. Pour Lightoller, Bride et pour tous les autres, qui s'accrochaient maintenant au canot B toujours renversé, ce fut une bénédiction. La cheminée tomba juste à côté d'eux et les envoya à plus de trente mètres de la coque.

Le *Titanic* était maintenant absolument vertical, parfaitement droit sur la mer, avec, tout en haut, les trois hélices qui brillaient dans l'obscurité. Lady Duff Gordon pensa à un doigt géant pointé vers le ciel ; Harold Bride, lui, compara le navire à un canard en train de plonger, le derrière en l'air...

Dans les canots, on avait du mal à en croire ses yeux. Pendant plus de deux heures, les gens avaient regardé le *Titanic* s'enfoncer petit à petit, mais en gardant toujours une sorte d'espoir intime. Mais, lorsque les feux de position disparurent sous l'eau, ils surent vraiment que la fin était proche ; cependant, comment imaginer le spectacle qu'ils avaient maintenant sous les yeux : cette coque noire qui se dressait à la verticale sur l'eau, au milieu de bruits, de craquements, de grondements inhumains ?

Plusieurs personnes préférèrent détourner le regard. Le président Bruce Ismay, dans le canot C, se pencha sur sa rame. Dans le n° 1, C. E. Henry Stengel se tourna en disant : « Je ne peux pas voir ça. » Dans le n° 4, Elizabeth Eustis cacha son visage dans ses mains.

Deux minutes passèrent. Le grondement mourut. Tout redevint silencieux. Le *Titanic* s'inclina très légèrement vers l'arrière. Puis, d'abord lentement, il s'enfonça, de plus en plus vite eût-on dit. Quand la mer se referma sur le mât de pavillon, il y eut un léger remous.

– C'est fini. Il ne reste plus rien, soupira quelqu'un dans le canot n° 13.

– Cette fois, ça y est, entendit Mme Ada Clark dans le n° 4.

Mais elle avait tellement froid qu'elle ne chercha pas à savoir qui avait parlé. Presque toutes les autres femmes étaient, comme elle, engourdies, assommées, incapables de manifester la moindre émotion. Dans le n° 5, le troisième officier Pitman regarda sa montre et dit simplement :

– 2 h 20.

A 10 milles de là, sur le *Californian*, le deuxième officier Stone et l'élève officier Gibson regardaient disparaître petit à petit l'étrange navire qui les avait intrigués pendant toute la durée de leur quart – ces fusées qu'il avait lancées, cette drôle d'allure qu'il avait sur l'eau... Gibson fit remarquer qu'il n'avait certainement pas lancé ces fusées pour rien.

– Certainement, répondit Stone. Un navire ne lance pas des fusées en mer pour s'amuser.

A 2 heures, les feux du *Titanic* étaient très bas sur l'horizon. Ils eurent l'impression qu'il s'en allait.

– Allez dire au capitaine, ordonna Stone à Gibson, que le navire disparaît au sud-ouest et qu'il a lancé en tout huit fusées.

Gibson traversa la chambre des cartes et délivra son message. Le capitaine Lord lui demanda, à moitié endormi :

– Il n'y avait que des fusées blanches ?

Puis il lui demanda quelle heure il était. Gibson lui apprit qu'à la timonerie il était 2 h 05. Lord se retourna dans son lit et Gibson remonta sur la passerelle.

A 2 h 20, le navire avait complètement disparu. Stone estima qu'il devait aller lui-même en informer le capitaine, par le tube acoustique. Puis, il se remit à scruter l'horizon.

Au moment où la mer se refermait sur le *Titanic*, dans le canot n° 1, Lady Cosmo Duff Gordon glissa à sa secrétaire Mlle Francatelli :

– Vous pouvez dire adieu à votre belle chemise de nuit !

Dans cette nuit d'avril, bien d'autres choses disparurent : le plus grand paquebot du monde, tout son chargement et, surtout, 1 502 personnes.

Ce fut aussi la fin de nombre d'anciennes habitudes. A compter de cette date, aucun capitaine ne lancerait jamais plus son navire dans la nuit, sur une mer jonchée de glaces, sans précaution, mettant une confiance aveugle dans quelques tonnes de tôle et de rivets. Désormais, on prendrait au sérieux les messages avertissant de la présence de glaces. On n'hésiterait plus à faire des détours, à ralentir. Personne ne croirait plus au mythe du navire insubmersible.

C'est ainsi qu'après la catastrophe, les gouvernements américain et britannique mirent sur pied la Patrouille internationale de la glace : encore aujourd'hui, les navires garde-côtes accompagnent les icebergs dérivant en direction des routes de navigation. Les routes d'hiver ont été déplacées vers le sud, et, sur tous les paquebots, la radio doit fonctionner vingt-quatre heures sur vingt-quatre, afin que plus jamais le monde ne puisse s'écrouler, pendant le sommeil d'un Cyril Evans, à 10 milles de là.

Ce fut aussi la dernière fois qu'un navire prit la mer avec trop peu d'embarcations de sauvetage. Les règlements imposés à un navire de 46 328 tonnes comme le *Titanic* dataient d'un autre siècle. Une formule absurde permettait de calculer le nombre d'embarcations de sauvetage obligatoire : un navire britannique de 10 000 tonnes devait avoir à bord seize canots de sauvetage d'une capacité totale de 155,6 mètres cubes, plus des radeaux et des embarcations secondaires représentant 75 % de la capacité des seize premiers canots.

Pour le *Titanic*, on arrivait donc à un total de 272,4 mètres cubes – de quoi recueillir 962 personnes tout au plus. En réalité, il y avait dans les canots assez de place pour 1 178 personnes – la White Star s'est assez plaint de ce que l'on n'a pas voulu en tenir compte ni lui savoir gré de cette marge de sécurité. Hélas ! même ainsi, il n'y avait guère de place que pour 52 % des 2 207 personnes à bord, et 30 % seulement de la capacité totale du navire.

Les enquêteurs ont toujours soutenu la White Star sur un point qui, pourtant, ne peut absolument pas être mis en doute : les passagers de troisième classe ont eu beaucoup moins de chances d'être sauvés que les autres – c'est vraiment le moins que l'on puisse dire. Les exemples ne manquent pas : Daniel Buckley, que l'on empêche de pénétrer en première classe ; Olaus Abelseth, qu'on ne laisse quitter la poupe qu'au moment où le dernier canot quitte le bord ; le steward Hart qui conduit deux petits groupes de femmes en haut, alors que des centaines de personnes restent confinées et enfermées en bas ; les passagers contraints d'escalader une grue, de grimper à des échelles de secours pour pouvoir s'échapper ; etc. Et puis tous ces gens que le colonel Gracie, Lightoller et les autres ont vu sortir de l'intérieur du navire presque à la dernière minute. Jusque-là, Gracie était persuadé que toutes les femmes avaient été embarquées – on avait eu tellement de mal à en trouver pour remplir les derniers canots ! Or, voilà maintenant qu'il en voyait des douzaines envahir le pont ! Les statistiques sont là, du reste : 4 femmes disparues seulement sur les 143 que comptait la première classe (et encore, 3 étaient restées à bord de leur propre gré) ; 15 sur les 93 de deuxième classe ; et 81 sur les 179 de troisième classe.

Sans parler des enfants. A part Lorraine Allison, tous les enfants de première et de deuxième classes ont été sauvés, mais seulement 23 sur les 76 qui voyageaient en troisième classe.

En deuxième classe également, tout fut loin d'être parfait. Lawrence Beesley se souvient très bien d'avoir vu un officier arrêter deux femmes qui voulaient passer par une porte conduisant à la première classe. Elles lui demandèrent :

– Pouvons-nous aller aux canots ?

– Non, mesdames, leur répondit-il, vos canots sont sur votre pont.

Il faut reconnaître que cette discrimination tenait davantage à un manque d'instructions qu'à autre chose. A certains endroits, l'équipage interdisait l'accès au pont des embarcations. A d'autres, on ouvrait les portes, mais c'était tout. En de rares endroits, il y eut quand même des gestes pour aider les passagers de troisième classe à trouver leur chemin jusqu'aux canots. Mais, en règle générale, tous ces gens furent livrés à eux-mêmes. Les plus entreprenants essayèrent de s'en sortir, mais tous les autres passèrent leur temps à tourner en rond, enfermés dans leurs locaux, impuissants, ignorés, oubliés.

Si la White Star ne s'est guère inquiétée de leur sort, elle ne fut pas la seule. Personne n'a semblé vouloir comprendre ce qui était arrivé à la troisième classe – ni la presse, ni les enquêteurs officiels, ni les passagers de troisième classe eux-mêmes.

Pour rédiger leurs articles, très peu de reporters eurent l'idée ou voulurent prendre la peine d'interroger ces passagers-là. Le *Times* de New York tira plus tard quelque fierté de ses articles sur le désastre ; cependant, le fameux numéro racontant l'arrivée du *Carpathia* à New York ne contenait que deux interviews de passagers de troisième classe. Même chose dans le *Herald* : sur les quarante-trois récits de survivants publiés, seuls deux émanaient de passagers de troisième classe. Ne pouvaient-ils fournir d'aussi fameuse copie que Lady Cosmo Duff Gordon, à laquelle un journal de New York fit dire entre autres : « La dernière chose que j'entendis, ce fut une voix qui hurlait : "Mon Dieu ! Mon Dieu !" » Un fait bien plus marquant méritait pourtant d'être raconté : en troisième classe, plus d'enfants disparurent que d'hommes en première classe. Voilà qui n'aurait jamais pu échapper à la presse d'aujourd'hui.

Le Congrès non plus ne manifesta aucun intérêt pour le sort de la troisième classe. Le rapport du sénateur Smith sur le *Titanic* couvre tous les aspects possibles et imaginables de la question (on y trouve jusqu'à une section spécialement consacrée à la structure des icebergs – « de glace », y explique le cinquième officier Lowe auquel on a demandé de quoi ils sont constitués, mais ne dit pas un mot des passagers de troisième classe. De tous les témoins cités, seuls trois sont de la troisième classe). Deux d'entre eux déclarèrent qu'on les avait empêchés de parvenir au pont des embarcations, mais il ne fut donné aucune suite à ces propos. Encore une fois, on a moins l'impression d'une affaire étouffée que d'une affaire qui n'intéressait personne.

Du côté britannique, on se débarrassa encore plus vite de cet aspect de l'enquête : M. W. D. Harbinson, qui représentait les intérêts de la troisième classe, déclara qu'il ne pouvait déceler aucune trace de discrimination ; dans sa conclusion, Lord Mersey blanchit tout le monde – pourtant, pas un seul passager de troisième classe ne vint témoigner, et le seul steward de troisième classe survivant raconta spontanément qu'il y avait encore des gens enfermés à 1 h 15. Mais les passagers de troisième classe eux-mêmes n'avaient pas l'air d'y attacher d'importance. Le régime était différent suivant les classes, c'était un fait, il n'y avait rien à ajouter. Olaus Abelseth considérait que l'accès au pont des embarcations était un privilège réservé aux première et deuxième classes... même si le navire était en train de couler. Du moment qu'on l'avait laissé sortir, il ne trouvait rien à dire.

Avec le naufrage du *Titanic*, on commence à voir les choses différemment. Jamais, depuis cette nuit-là, aucun passager de troisième classe ne s'est laissé traiter de cette façon. Et jamais plus la première classe n'a bénéficié de tels privilèges. En 1908, pendant le naufrage du *Republic*, un autre paquebot de la White Star, le capitaine Sealby avait lancé aux passagers : « D'abord, la première classe ! Après, les autres ! » Cette règle, personne ne l'a formulée sur le *Titanic*, mais elle fut largement observée. Dans cette affaire, aux yeux de la presse, le passager de première classe était naturellement innocent, comme l'enfant qui vient de naître. Ainsi, quand on apprit qu'Ismay était sauf, le *Sun* de New York se dépêcha d'écrire : « Ismay s'est conduit avec un courage exceptionnel »... L'honnêteté l'obligea toutefois à ajouter : « Personne ne sait comment M. Ismay a pu se retrouver dans un canot de sauvetage. On pense qu'il souhaitait surtout pouvoir expliquer lui-même le naufrage à sa compagnie. »

Jamais, depuis, la première classe n'a eu la partie aussi belle, aussi facile. A un point tel qu'il y eut une réaction inverse presque immédiatement après : quelques jours plus tard, Ismay était mis au pilori ; et dans l'année qui suivit, une rescapée très connue divorça d'avec son mari uniquement, dit-on, parce qu'il avait été sauvé lui aussi. L'héritage du *Titanic*, c'est une nouvelle façon de juger les actes des puissants dans les circonstances difficiles.

A cette époque, tout était plus facile pour les riches. En 1912, il n'y avait ni radio, ni cinéma, ni télévision ; le sport n'était pas encore la grande distraction populaire. Il fallait les gens célèbres pour distraire le public, donner un peu de sel aux existences ordinaires. La presse était parfaitement consciente de ce besoin. Quand le *Titanic* prit le départ, le *Times* de New York publia en première page la liste de tous les passagers célèbres. L'*American*, de New York également, annonça le naufrage dans un éditorial presque entièrement consacré à John Jacob Astor ; dans les dernières lignes de l'article, on apprenait qu'en outre, mille huit cents personnes avaient péri en même temps que lui.

C'est dans le même esprit que, le 18 avril, le *Sun* de New York évoqua les conséquences du désastre pour les compagnies d'assurances. D'un bout à l'autre de l'article, on ne parlait que des perles de Mme Widener.

Jamais la richesse ne fut aussi spectaculaire, aussi affichée, aussi fascinante. John Jacob Astor avait donné 800 dollars pour un corsage en dentelle qu'un marchand était venu proposer à bord pendant la courte escale à Queenstown. Pour les Ryerson, il était parfaitement normal de se déplacer avec seize malles. Les cent quatre-vingt-dix familles de la première classe avaient vingt-trois bonnes, huit valets et tout un peuple de gouvernantes et de nurses bien à elles – entièrement distincts des dizaines de stewards, hommes et femmes qui, eux, faisaient partie de l'équipage. Ces domestiques particuliers avaient leur salon spécial sur le pont C ; personne ne devait pouvoir courir le risque d'engager la conversation avec un monsieur respectable et distingué, pour avoir la désagréable surprise de s'apercevoir quelques instants plus tard qu'il était en train de parler avec le guide personnel de Henry Sleeper Harper.

En arrivant à New York, ce fut le même luxe. Pour recevoir Mme Astor attendaient deux automobiles, deux médecins, une infirmière, un secrétaire et Vincent Astor. Mme George Widener, elle, ne trouva pas d'automobile, mais un train spécial – avec une locomotive, un wagon et une voiture pullman personnelle. Mme Charles Hays, elle aussi, avait son train spécial avec quatre wagons spéciaux, dont deux wagons-lits.

C'était un accueil digne de gens capables de débourser 4 350 dollars – et de dollars de 1912 –

pour une traversée en appartement de luxe. Un appartement qui avait jusqu'à son promenoir privé.

Ce style de vie n'était évidemment pas à la portée de tout le monde – l'opérateur radio Bride, par exemple, qui gagnait 20 dollars par mois, aurait dû économiser dix-huit ans pour pouvoir s'offrir une traversée à ce prix-là. Et tous ceux qui pouvaient se le permettre formaient un petit groupe extrêmement fermé. Un petit groupe qui disparut avec le *Titanic*, ou commença à disparaître.

Tous ces gens avaient les mêmes occupations, les mêmes goûts. Ils passaient leur temps à se retrouver au pied des Pyramides (site particulièrement prisé), aux régates de Cowes, ou, au printemps, à Baden-Baden. A croire qu'ils avaient tous les mêmes idées en même temps ; et l'idée de faire le voyage inaugural du plus grand paquebot du monde était bien faite pour les séduire.

Pour eux, cette traversée du *Titanic* était davantage un événement mondain ou une réunion de famille qu'un vrai voyage. Mme Henry B. Harris, qui, elle, ne faisait pas partie de cette coterie, en est restée comme fascinée. « On sentait une sorte d'esprit de camaraderie tout à fait étonnant. Personne n'avait l'air de se demander qui était qui. Tout le monde était aimable avec tout le monde. Les gens se retrouvaient sur le pont comme pour une partie de plaisir. »

Ces gens connaissaient l'équipage presque aussi bien qu'ils se connaissaient entre eux. Ils avaient l'habitude de faire la traversée avec certains capitaines plutôt que sur certains navires. Et le capitaine Smith bénéficiait d'un préjugé, d'une faveur qui le rendaient inestimable à la White Star. Du reste, il rendait aux passagers la préférence qu'ils lui accordaient par certaines petites attentions personnelles. La dernière nuit, par exemple, John Jacob Astor et quelques autres reçurent les mauvaises nouvelles directement du capitaine Smith, avant que l'alarme générale n'eût été donnée.

Chaque fois qu'un habitué de la ligne faisait une traversée, c'était toujours le même steward, le même garçon de cabine qui le servait. Il connaissait ses manies, ses goûts, ses habitudes. Chaque fin d'après-midi, le steward Cunningham entrait ainsi dans la cabine A 45 et préparait les vêtements de Thomas Andrews, exactement comme M. Andrews aimait les trouver. A 18 h 45 ce soir-là, Cunningham reparaissait pour aider M. Andrews à s'habiller. Un exemple entre mille.

Mais, si l'on bénéficiait de certains privilèges, on n'en abusait pas pour autant. Presque aucun des hommes de tout ce groupe ne fut sauvé.

Le naufrage du *Titanic* baissa le rideau sur cette façon de vivre. Il y eut d'abord la guerre, puis l'impôt sur le revenu.

Avec ce monde disparurent aussi quelques-uns de ses préjugés – surtout la conviction ouvertement affichée de la supériorité des Anglo-Saxons : tous les passagers clandestins des embarcations de sauvetage étaient décrits comme des « Chinois » ou des « Japonais ». Tous ceux qui ont sauté par-dessus bord, des « Arméniens », des « Français » ou des « Italiens ».

« Plusieurs passagers, déclara le steward Crowe lors de l'enquête américaine, vraisemblablement des Italiens, en tout cas ni anglais ni américains, essayèrent de s'emparer de force des embarcations. »

Crowe, naturellement, n'a jamais entendu aucun de ces « coupables » ; comment pouvait-il en parler en connaissance de cause ? Les accusations prirent un tour tel que l'ambassadeur d'Italie exigea des excuses du cinquième officier Lowe pour s'être servi sans cesse du mot « Italien » comme d'un synonyme de « lâche », et il les obtint.

A l'inverse, bon sang anglo-saxon ne pouvait mentir. Quand Bride raconta l'agression du chauffeur contre Phillips, plusieurs journaux reproduisirent sa déclaration en ajoutant que le chauffeur était un Nègre...

Toutefois, en même temps que des préjugés, une certaine noblesse d'attitude disparut cette nuit-là. Les hommes continuèrent certes à se conduire bravement, mais plus de la même façon. Ces passagers du *Titanic* avaient un je-ne-sais-quoi de touchant : Ben Guggenheim revêtant son habit de soirée, ou le colonel Gracie courant éperdu à la recherche de Mme Candee. Aujourd'hui, personne n'aurait plus ces gestes-là.

Quelque chose de l'expression « Noblesse oblige » disparut en même temps. A New York, pendant ces terribles journées d'attente, les Astor, les Guggenheim et autres ne se contentèrent pas de rester près de leur téléphone ou d'envoyer des amis aux bureaux de la White Star ; ils s'y rendirent eux-mêmes. Ce n'était pas la meilleure façon d'obtenir des renseignements, mais on estimait que c'était le devoir de chacun d'y aller en personne.

Les familles ne sont pas moins unies aujourd'hui, mais l'on se contenterait de téléphoner. Peu de gens oseraient aller affronter les bureaux d'une compagnie de navigation dont un navire vient de se perdre en mer... Les rescapés du *Titanic* n'ont pas hésité une minute. Vincent Astor fut mieux renseigné que les autres, c'est vrai – certains furent même reçus en personne par Franklin, le directeur général –, mais l'important est qu'il ne se contentât pas d'entrer en contact : il était là.

Par-dessus tout, la catastrophe du *Titanic* a marqué la fin d'une époque de confiance générale. Jusque-là, les hommes croyaient avoir réussi à créer un monde civilisé, organisé, d'où la peur était exclue. Depuis cent ans, les techniques n'avaient cessé de progresser. Depuis cent ans, la société tout entière bénéficiait de la paix et des avancées de la civilisation industrielle. On avait peut-être tort de se croire en sécurité, mais, à cette époque, chacun était persuadé d'aller chaque jour vers un monde meilleur.

Le naufrage du *Titanic* secoua ces certitudes. Jamais plus on ne serait aussi sûr de soi-même. A la toute-puissante technique, surtout, le désastre porta un coup terrible. Le navire « insubmersible », la plus grande réussite technique de tous les temps peut-être, venait de couler lors de sa première traversée. Pis : si ce chef-d'œuvre de l'invention et du travail humains était un échec, à quoi se fier désormais, en quoi mettre sa confiance ? Beaucoup de prêtres annoncèrent à leurs fidèles que le *Titanic* était un châtiment infligé par Dieu pour punir les hommes de leur trop grande autosatisfaction, de leur trop grande foi dans le progrès matériel. Châtiment ou non, l'effet fut en tout cas certain. Personne, depuis, n'a été aussi sûr de quoi que ce soit.

On ne peut évidemment faire porter au naufrage du *Titanic* la responsabilité de tous les malheurs, de toute l'inquiétude qui l'ont suivi, mais il en a été le premier signe. Avant le *Titanic,* tout n'était que paix. Après, tout ne fut que tumulte. C'est pourquoi, pour tous ceux qui vivaient à cette époque, ce naufrage, plus que toute autre chose, signe la fin d'une époque, heureuse, et le début d'une autre, plus inquiète.

Le matin du lundi 15 avril 1912, à l'endroit où le *Titanic* s'était englouti, seule une sorte de légère fumée s'élevait lentement dans la nuit. La mer immobile était couverte de caisses, de meubles, de morceaux de bois, d'une infinité d'épaves qui remontaient sans cesse à la surface, comme des bouchons.

Dans l'eau, des centaines de personnes essayaient de surnager, s'accrochant à tout ce qui flottait, ou se tenant les unes les autres. Le steward Edward Brown, voulant reprendre sa respiration, s'aperçut que quelqu'un s'agrippait à ses vêtements. Quant à Olaus Abelseth, il sentit tout d'un coup quelqu'un lui serrer le cou. Il réussit à s'en débarrasser, lui cracha : « Lâchez-moi », mais l'homme l'attrapa une deuxième fois, et Abelseth dut lui donner un grand coup de pied pour lui faire lâcher prise. De toute façon, la mer l'eût tôt ou tard obligé à lâcher prise. La température de l'eau était de - 3°C. Le deuxième officier Lightoller sentait des « milliers de lames de couteaux » lui rentrer dans le corps. Par un froid pareil, les ceintures de sauvetage étaient de bien peu d'utilité.

Malgré tout, quelques personnes avaient pu conserver tout leur sang-froid et toute leur énergie. Les deux canots de toile A et B représentaient leur seul espoir de salut. La mer était venue les prendre sur le pont des embarcations ; le A était à moitié rempli d'eau et le B avait la quille en l'air. La cheminée, en s'écrasant, les avait projetés tous les deux à bonne distance du *Titanic* et de la foule. Tous les nageurs encore valides se dirigeaient vers eux.

Au bout d'une vingtaine de minutes, Olaus Abelseth arriva au A. Une douzaine d'autres nageurs au moins s'y trouvaient déjà, étendus dans le fond du canot, à moitié morts. Personne ne l'aida ni ne l'empêcha de monter à bord. Au moment où il se hissait dans l'embarcation, quelqu'un grommela seulement : « Ne faites pas chavirer ! »

Petit à petit, d'autres personnes arrivèrent et allèrent s'écrouler les unes sur les autres au fond du canot, en un amas peu croyable : le champion de tennis R. Norris Williams Jr, flanqué de sa pelisse dégoulinante ; deux Suédois ; le chauffeur John Thompson, très gravement brûlé aux mains ; un passager de première classe en sous-vêtements ; le steward Edward Brown ; Mme Rosa Abbott, passagère de troisième classe.

Très lentement, à la dérive, le canot s'éloigna du lieu de la catastrophe. Les nageurs se firent de plus en plus rares. Finalement, plus personne n'arriva, et le A continua à dériver silencieusement dans la nuit.

Pendant ce temps, d'autres nageurs étaient arrivés au B, plus proche. Beaucoup de gens nageaient autour de la coque retournée, avec force cris.

– Sauvez-moi ! Sauvez-moi ! entendit Walter Hurst qui, au milieu des autres, essayait de monter sur la coque.

L'opérateur radio Bride n'avait évidemment pas quitté le B ; il était toujours en dessous. Lightoller y arriva peu avant que le *Titanic* n'eût complètement disparu. Il nageait en se tenant au bord du B quand la cheminée était tombée, et le remous avait failli lui faire lâcher prise.

Hurst et trois ou quatre autres étaient maintenant allongés en travers de la coque. Lightoller et Thayer réussirent à monter à leur tour, Bride était allongé dessous, sur le dos, se cognant aux bancs de nage, à moitié étouffé.

Puis arriva A. H. Barkworth, un juge de paix du Yorkshire. Il portait un grand manteau de fourrure par-dessus sa ceinture de sauvetage, et ce curieux accoutrement, aussi bizarre que cela puisse paraître, l'aida à flotter. Il grimpa lui aussi sur l'embarcation : on aurait dit un gros animal velu.

Le colonel Gracie, lui, arriva un peu plus tard. Jeté à l'eau au moment où le *Titanic* avait sombré, il avait d'abord attrapé une planche, puis une grande caisse en bois, avant d'apercevoir le canot. Quand il y parvint, plus d'une douzaine de personnes étaient déjà arrivées à grimper dessus.

Personne ne voulut l'aider. Chaque fois que quelqu'un montait, le canot s'enfonçait un peu plus dans l'eau. Des vagues passaient déjà par-dessus la quille. Mais Gracie n'était pas arrivé de si loin pour rien. Il attrapa le bras d'un homme qui était déjà monté et s'en servit pour se hisser à bord. Ensuite, ce fut John Collins, cuisinier, qui se débrouilla pour grimper. Et puis Bride, qui réussit finalement à se dégager et monta à l'arrière.

Quand le steward Thomas Whiteley arriva à son tour, le B avait du mal à flotter. Il y avait au moins trente personnes dessus. Quelqu'un essaya de le repousser avec une rame, en vain.

Le chauffeur Harry Senior reçut un coup de rame ; il fit le tour de l'embarcation et grimpa de l'autre côté.

A l'avant et à l'arrière, des hommes munis de planches pagayaient pour tenter d'éloigner le canot des nageurs.

– Accrochez-vous à ce que vous avez ! Un de plus et nous coulons tous ! leur lançaient ceux qui étaient sur le canot.

– D'accord, les gars ! Et surtout, ne vous frappez pas ! répondit un nageur auquel on demandait de s'éloigner.

Il partit finalement en criant :

– Bonne chance ! Et que Dieu vous bénisse !

Un autre nageur, qui semblait les encourager avec autorité, ne demanda pas une seule fois à monter à bord. Walter Hurst ne put s'empêcher de lui tendre une rame. Mais l'homme était épuisé : il eut une sorte de convulsion et disparut. Aujourd'hui encore, Hurst est toujours persuadé que c'était le capitaine Smith.

Un matelot proposa de prier. Tous furent d'accord, mais comment faire ? Il y avait à bord des catholiques, des presbytériens, des anglicans, des méthodistes. Finalement, l'hymne *The Lord's Prayer*, recueillit tous les suffrages, et ils se mirent à le chanter en chœur.

Pendant que les canots A et B se remplissaient, puis s'éloignaient, on entendait aussi les appels au secours de centaines de malheureux, confondus en une même plainte lugubre. Le chauffeur George Kemish, qui tirait sur sa rame dans le canot n° 9, a comparé ces cris aux acclamations qui saluent la fin d'une finale de football... A Jack Thayer, allongé en travers de la quille du B, ils rappelèrent plutôt le chant des cigales par une nuit d'été, dans les bois, chez lui, en Pennsylvanie...

# 8

Pour l'impulsif, pour l'énergique Lowe, ces cris dans la nuit ne voulaient dire qu'une chose : il fallait se porter au secours de tous ces gens.

Il pouvait vraiment leur être utile. Après avoir quitté le *Titanic* à bord du canot n° 14, il avait rencontré le 10, le 12, le 4 et le D, et il les avait tous encordés les uns derrière les autres. On aurait dit des perles blanches enfilées sur un fil de 150 mètres de long.

– Je vous prends tous sous mon commandement, avait-il dit.

Comment organiser la flottille pour le sauvetage ? Y aller avec tous les canots aurait été un véritable suicide – il y avait trop peu d'hommes de mer dans chaque embarcation pour pouvoir résister à l'assaut de toutes les personnes à la mer. En revanche, si un seul canot partait avec un équipage trié sur le volet, il pourrait certainement faire du bon travail. Lowe répartit donc ses cinquante-cinq passagers sur quatre canots et demanda des volontaires pour venir aux rames du n° 14.

C'était vraiment une entreprise de fou que ce transbordement en pleine mer, à 2 h 30 le matin. Lowe faillit abandonner.

– Mais sautez, sautez donc, bon sang de bon sang ! cria-t-il à Mlle Daisy Minahan, qui n'arrivait pas à se décider.

Une vieille dame impressionna Lowe par sa souplesse. Il lui arracha son châle et se trouva en face d'un jeune homme qui le regardait avec des yeux ronds de terreur. Lowe ne lui dit pas un mot, mais le poussa dans le dos aussi fort qu'il put pour le faire passer dans le canot n° 10.

La manœuvre était interminable... Lowe voulut attendre que la foule des nageurs fût un peu moins dense avant de se rendre sur le lieu du désastre, pour faire courir le minimum de risques à son embarcation. Il était donc plus de 3 heures du matin – presque une heure après la disparition du *Titanic* – quand le canot n° 14 s'engagea au milieu des épaves.

Il ne restait plus beaucoup de monde sur l'eau – le steward John Stewart, le passager de première classe W. F. Hoyt, un passager japonais de troisième classe qui s'était agrippé à une porte. Pendant presque une heure, le canot n° 14 joua à colin-maillard dans le noir, se dirigeant à l'oreille vers les cris, sans jamais pouvoir atteindre les misérables qui hurlaient.

Ils recueillirent quatre personnes en tout, dont M. Hoyt, qui mourut dans l'heure qui suivit. Lowe avait mésestimé le temps nécessaire pour arriver à l'endroit du naufrage, puis atteindre les naufragés qui criaient dans le noir ; surtout, il ignorait combien de temps un homme peut vivre dans de l'eau à - 3 °C. Il n'aurait pas dû attendre que « la foule fût un peu moins dense » ; hélas ! il était trop tard maintenant. Au moins Lowe avait-il tenté quelque chose.

Le troisième officier Pitman, dans le canot n° 5, entendit lui aussi les cris. Il fit faire demi-tour à son embarcation.

– Maintenant, on retourne à l'endroit du naufrage, ordonna-t-il.

– Demandez à l'officier de ne pas nous y faire retourner, dit une femme au steward Etches, qui était en train de ramer. Pourquoi devrions-nous tous mourir pour essayer de sauver ces gens, alors que nous ne pouvons pas les sauver ?

D'autres femmes protestèrent. Pitman se demandait ce qu'il devait faire. Finalement, il donna le contre-ordre et enjoignit à ses hommes d'arrêter de ramer. Pendant toute l'heure suivante, le canot n° 5, avec quarante personnes à bord, alors qu'il pouvait en contenir soixante-cinq, se balança doucement sur l'Atlantique avec ses passagers, qui entendaient les gens hurler, à 300 mètres de là seulement.

Dans le canot n° 2, le steward Johnson s'est souvenu d'avoir entendu Boxhall demander à ses passagères :

– Est-ce qu'on y retourne ?

Toutes refusèrent... Et le canot n° 2, rempli à 60 %, se contenta de dériver tranquillement, lui aussi, à proximité immédiate de centaines de mourants.

Les dames du canot n° 6 se comportèrent d'une tout autre façon. Mme Lucien Smith, qui n'avait pas oublié le mensonge dont s'était servi son mari pour la faire monter à bord ; Mme Churchill Candee, touchée par le courage et la générosité de ses protecteurs volontaires ; Mme J. J. Brown, naturellement brave et à qui les aventures ne faisaient pas peur – toutes demandèrent au quartier-maître Hitchens de retourner à l'endroit du naufrage. Mais Hitchens s'y refusa, leur peignit l'horrible tableau de dizaines de gens s'accrochant au canot et les faisant tous couler. Les cris se faisaient de moins en moins nombreux, de moins en moins forts, et les dames le suppliaient toujours. Mais le canot n° 6 – capacité : 65 ; occupants : 28 – ne se déplaça pas d'un mètre.

Dans le canot n° 1, le chauffeur Charles Hendrickson déclara :

– Il ne tient qu'à nous de rebrousser chemin.

Personne ne lui répondit. La vigie George Symons, qui avait la responsabilité du canot, se tut. Hendrickson répéta sa suggestion. Sir Cosmo Duff Gordon voulut le dissuader : ce serait dangereux ; ils risquaient de couler. Plus personne n'en reparla. Et le canot n° 1, avec douze personnes dans un canot conçu pour quarante, continua à tourner en rond, sans but, dans la nuit.

Dans tous les canots, la même scène : une timide suggestion, une violente opposition, et l'immobilité. Des mille six cents personnes qui se trouvaient encore à bord du *Titanic* quand il s'engloutit, seules treize furent sauvées par les dix-huit canots de sauvetage qui se trouvaient à proximité. Le n° 4 sauva ainsi huit personnes arrivées jusqu'à lui. Et il n'y eut que le n° 14 pour faire demi-tour.

Au fur et à mesure que les derniers appels s'éteignaient, la nuit devenait étrangement silencieuse. Sous le choc de la catastrophe, personne ne réalisait encore que leurs amis, leurs intimes avaient disparu pour toujours. La situation des survivants n'était guère plus enviable, mais qui pouvait déjà s'en rendre compte ? Pour la plupart, les rescapés se sentaient plus abasourdis qu'autre chose.

Et en même temps régnait un sentiment d'isolement, de solitude. Lawrence Beesley s'est demandé pourquoi, sur le *Titanic,* on avait toujours éprouvé, même au moment où on le sut blessé à mort, un sentiment de sécurité et de chaleur humaine qu'on ne retrouva plus à bord des canots de sauvetage. Dans le n° 3, Elizabeth Shutes regardait les étoiles filantes et se disait que les fusées du *Titanic* n'étaient que bien peu de chose à côté de l'immensité de la nature. Dans le n° 4, Mlle Jean Gertrude Hippach, elle aussi, regardait les étoiles filantes. Elle n'en avait jamais vu autant. Elle se souvint d'une légende selon laquelle, chaque fois qu'on voit une étoile filante, quelqu'un meurt quelque part.

Lentement, très lentement, la vie reprenait dans les canots. Dans le n° 2, Boxhall commença à envoyer des fusées vertes, réveillant les passagers, mais les rassurant aussi. Des autres canots, il était assez difficile de dire d'où elles partaient. Plusieurs personnes crurent qu'elles étaient lancées par des navires, au loin.

Les rames se remirent à battre l'eau et les canots s'appelèrent les uns les autres dans le noir. Le n° 5 et le n° 7 s'attachèrent ensemble, puis le 6 et le 16, auquel il emprunta un chauffeur en guise de rameur. D'autres canots dérivaient, isolés. Dans un rayon de 4 ou 5 milles, on en comptait dix-huit en tout, éparpillés sur une mer calme comme un lac. Dans le n° 13, un chauffeur se souvint de moments passés à Regent's Park et ne put s'empêcher de dire :

– Ça me rappelle un pique-nique dans un pré fleuri !

Et par moments, en effet, on avait l'impression d'un pique-nique – les conversations sans queue ni tête, les gosses qu'on trouvait toujours dans ses jambes.

Lawrence Beesley enveloppa d'une couverture les pieds d'un bébé qui pleurait ; il découvrit qu'il avait de très bons amis communs à Clonmel, en Irlande, avec la dame qui tenait l'enfant. Edith Russel essayait de distraire un autre enfant avec un petit cochon musical qui jouait un air chaque fois qu'on lui remuait la queue. Hugh Woolner donnait des biscuits au petit Louis Navratil. Mme John Jacob Astor prêta son châle à une passagère de troisième classe pour qu'elle puisse réchauffer sa petite fille qui pleurait. La femme la remercia en suédois.

C'est à peu près à ce moment-là que Marguerite Frolicher se vit offrir le complément essentiel de tout pique-nique : un monsieur assis à côté d'elle sortit une flasque d'argent de sa poche et lui proposa de boire un peu de brandy pour lutter contre le mal de mer. Elle se trouva immédiatement guérie. Peut-être à cause du brandy... ou peut-être à cause de la nouveauté – elle avait vingt-deux ans et c'était la première fois qu'elle buvait une goutte d'alcool.

Mais, pour un pique-nique, il faisait bien froid. Dans le canot n° 5, Mme Crosby tremblait tellement que Pitman l'enveloppa dans la voile. Dans le n° 6, un chauffeur assis à côté de Mme Brown claquait des dents. Finalement, elle lui couvrit les jambes de son étole noire, qu'elle noua derrière ses chevilles. Dans le n° 16, un homme en pyjama blanc, complètement frigorifié, faisait penser à un bonhomme de neige. Dans le n° 14, Mme Charlotte Collyer était tellement engourdie, ankylosée, qu'elle était tombée dans le fond du canot ; une mèche de cheveux resta accrochée à un tolet.

Les hommes d'équipage faisaient ce qu'ils pouvaient pour aider leurs passagères. Dans le canot n° 5, un matelot enleva ses chaussettes et les tendit à Mme Washington Dodge. Et, comme elle le regardait avec un air incrédule :

148

– Je vous assure, madame, qu'elles sont tout à fait propres, lui dit-il. Je les ai changées ce matin.

Dans le n° 13, le chauffeur Beauchamp, qui n'avait que sa veste de toile sur le dos, refusa néanmoins d'en prendre une autre, que lui tendait une dame d'un certain âge ; il tint au contraire à ce qu'elle la donnât à une jeune Irlandaise qui se trouvait avec eux. Les passagers de ce canot trouvèrent un réconfort inattendu dans six mouchoirs que le steward Ray, avant de quitter sa cabine, avait emportés avec lui. Il les distribua et tout le monde s'en fit un couvre-chef en pratiquant un nœud à chaque coin. Ray racontait encore, des années après, avec un certain orgueil, que cette nuit-là, dans son canot, il avait eu « six têtes couronnées ».

Quant aux rameurs, ils n'avaient pas l'air de participer à un pique-nique : c'étaient, pour la plupart, des rameuses ! Dans le n° 4, Mme John B. Thayer rama pendant cinq heures avec de l'eau jusqu'aux genoux. Dans le n° 6, l'infatigable Mme Brown distribua les femmes à raison de deux par rame : une qui la tenait en place et l'autre qui la manœuvrait. De cette façon, Mmes Brown, Meyer et Candee parcoururent 3 ou 4 milles dans la nuit en direction de cette lueur qui brillait toujours sur l'horizon – en vain.

Mme Walter Douglas était au gouvernail du canot n° 2. Boxhall, qui en avait le commandement, lançait des fusées vertes et, entre-temps, ramait. Dans le n° 8, Mme J. Stuart White ne prit pas de rame, mais se chargea de la signalisation. Elle passa la plus grande partie de la nuit à agiter en tous sens sa canne, à laquelle on avait fixé une torche électrique, ce qui eut pour effet de gêner les autres embarcations davantage qu'elle ne les aida.

Dans le canot n° 8, Marie Young, Gladys Cherry et Mme F. Joël Swift étaient aux bancs de nage. Mme William R. Bucknell remarqua qu'elle ramait à côté de la comtesse de Rothes, tandis qu'un peu plus en arrière, sa bonne ramait à côté de la bonne de la comtesse. Pendant la plus grande partie de la nuit, ce fut la comtesse qui tint le gouvernail. Le matelot Jones, qui avait le commandement du bateau, a expliqué au journal *The Sphere* pourquoi il l'avait placée là : « C'était une femme nantie de toutes les qualités possibles... Après avoir vu la façon dont elle se comportait avec les autres, son calme, sa fermeté, j'ai compris qu'elle valait mieux que tous les hommes que j'avais à bord... » Lors de l'enquête américaine, Jones est revenu sur cette explication mais, cette fois, en l'absence de tout journaliste, il a ajouté : « Comme elle n'arrêtait pas de parler, je l'ai mise au gouvernail. »

Quoi qu'il en soit, aussitôt arrivé à New York, il découpa le « 8 » sur le côté du canot et le lui envoya encadré en signe d'admiration. Elle, pour sa part, jura de lui écrire chaque année à Noël.

Petit à petit, les survivants reprenaient contact avec la réalité. Du canot n° 3, Mme Charles Hays hélait tous les canots qui passaient à proximité du sien, en criant :

– Charles Hays, êtes-vous là ?

Dans le n° 8, la signora de Satode Penasco hurlait qu'on lui rendît son mari Victor. A la fin, la comtesse de Rothes, incapable de supporter ses cris plus longtemps, confia le gouvernail à sa cousine Gladys Cherry et passa tout le reste de la nuit à ramer à côté de la malheureuse en essayant de la réconforter. Dans le n° 6, Mme de Villiers n'arrêtait pas d'appeler son fils, alors qu'il n'avait même pas embarqué sur le *Titanic*.

Ce qui devait arriver arriva : on se mit à se disputer. Dans le canot n° 3, les femmes s'envoyaient des méchancetés à propos de vétilles, devant leurs maris gênés qui n'osaient intervenir. Mme Washington Dodge qui, dans le n° 5, avait été la seule à vouloir revenir sur le lieu du naufrage, était tellement excédée par ses infortunés compagnons que, en plein milieu de l'océan, elle changea d'embarcation et monta dans le n° 7 quand il vint à passer près d'elle. L'énergique masseuse du *Titanic,* Maud Slocombe, quant à elle, dit clairement sa façon de penser à une femme qui, dans le n° 11, n'arrêtait pas de faire sonner un réveil. Dans le n° 15, le matelot Diamond, un ancien boxeur, n'arrêtait pas de jurer en faisant appel à toutes les ressources de son vocabulaire.

Beaucoup d'altercations, beaucoup de vaines querelles éclatèrent parce que certains voulaient fumer. En 1912, on n'était pas encore habitué à voir fumer pour se calmer les nerfs ou pour se donner une attitude, et les femmes étaient sincèrement choquées. Mlle Elizabeth Shutes demanda à deux hommes assis à côté d'elle d'éteindre leur cigarette, sans résultat.

Ce souvenir hérissait encore Mme J. Stuart White au moment de l'enquête. Quand le sénateur Smith lui demanda si elle avait quelque remarque à faire sur la tenue de l'équipage, elle explosa :

– On avait à peine quitté le navire que ces stewards ont sorti des cigarettes de leurs poches et les ont allumées ! A un moment pareil !

Dans le canot n° 1, on était plus entre soi, et le tabac ne posa pas de problème. Quand sir Cosmo Duff Gordon offrit un cigare au chauffeur Hendrickson, aucune des deux femmes présentes ne trouva à y redire : Mlle Francatelli était au service de la femme de sir Cosmo, et lady Duff Gordon était elle-même trop malade pour ouvrir la bouche ; la tête appuyée contre une rame, elle ne cessa de vomir pendant toute la nuit.

Il y eut toutefois quelques sujets de disputes. Sir Cosmo et M. C. E. Henry Stengel ne s'entendaient pas très bien. Si le canot avait été plein, voilà qui n'aurait sans doute pas eu grande importance, mais avec douze personnes à bord seulement, la situation était assez délicate. A en croire sir Cosmo, M. Stengel n'arrêtait pas de crier : « Ohé ! Ohé, du canot ! » et de donner des ordres à Symons. Sir Cosmo fut encore plus furieux lorsque, au cours de l'enquête, M. Stengel déclara : « Sir Cosmo et moi-même avons décidé ensemble dans quelle direction nous rendre. »

Le chauffeur Pusey, lui, ne pouvait plus supporter d'entendre lady Duff Gordon essayer de consoler Mlle Francatelli de la perte de sa chemise de nuit. Il osa leur déclarer :

– Pourquoi vous en faire ? Vous êtes toujours vivantes ! Et nous, on a perdu nos sacs.

Une demi-heure plus tard, comme Mlle Francatelli était toujours inconsolable, Pusey se tourna vers sir Cosmo et lui dit :

– Vous avez perdu tout ce que vous aviez ?

– Oui.

– Mais vous pouvez le racheter ?

– Bien sûr !

– Eh bien ! nous, nous avons perdu nos sacs, mais la compagnie ne nous rendra rien. Et par-dessus le marché, nous ne sommes plus payés à partir de cette nuit !

Sir Cosmo, qui voulait avoir la paix, répliqua :

– Bon, eh bien ! je vais vous donner cinq livres à chacun !

Ce qu'il fit, mais il s'en mordit les doigts plus tard : non seulement il avait été pratiquement le seul maître à bord du n° 1 – qui ne s'était porté au secours de personne après le naufrage –, mais encore il avait donné de l'argent à tous les membres de l'équipage ! Comment ne pas avoir l'impression que son cadeau n'était pas une façon déguisée d'offrir une bonne conscience à tous ces gens ? Sir Cosmo eut du mal à le faire oublier.

La suite n'arrangea rien. Après le sauvetage, lady Duff Gordon rassembla tous les occupants du n° 1 – portant encore la ceinture de sauvetage – pour une photo de groupe. On aurait vraiment dit que c'était là l'équipage particulier des Duff Gordon. Enfin, la veille du jour où il devait aller témoigner à l'enquête, Symons passa toute la journée avec l'avocat de sir Cosmo, comme s'il avait été le maître d'équipage personnel de sir Cosmo.

En fin de compte, sir Cosmo ne s'est probablement pas rendu coupable d'autre chose que d'un extrême mauvais goût.

L'alcool fut aussi à la source de plusieurs disputes. Le canot n° 4 récupéra à la mer un membre de l'équipage qui tenait une bouteille de brandy à la main. On la rejeta à l'eau parce que, comme il l'expliqua lui-même plusieurs semaines après à la presse, « on craignait que, si quelque hystérique eût mis la main dessus, cela pût avoir des résultats fâcheux ». Mlle Eustis a donné une version légèrement différente de l'affaire : « Il y avait un homme ivre à bord. Il avait une bouteille de brandy dans sa poche. Le quartier-maître a jeté la bouteille par-dessus bord et a envoyé l'ivrogne dormir au fond du canot. »

Dans le canot n° 6, les choses tournèrent à l'aigre pour d'autres raisons. Le major Peuchen, qui avait l'habitude de donner des ordres, voulut prendre le commandement de l'embarcation. Mais le quartier-maître Hitchens ne l'entendit pas de cette oreille. Peuchen se contenta d'abord de ramer, tandis que Hitchens tenait le gouvernail, mais au bout de dix minutes, Peuchen lui ordonna de laisser le gouvernail à une dame et de venir ramer lui aussi. Le quartier-maître lui répondit que c'était lui qui commandait et que Peuchen n'avait qu'à ramer et à se taire.

Au bout d'un moment, Peuchen et Fleet restèrent seuls à ramer. Mais, sur les instructions de Mme Brown, la plupart des femmes vinrent les aider, tandis que Hitchens restait toujours collé au gouvernail, criant de ramer plus fort pour ne pas risquer d'être attirés au fond de l'eau lorsque le *Titanic* disparaîtrait. Les femmes lui répondirent sur le même ton, et la nuit se mit à retentir de propos aigres-doux.

Le canot se dirigeait vers le feu qui brillait à l'horizon. Quand on réalisa que l'on n'y arriverait jamais, Hitchens annonça que tout était perdu ; ils n'avaient ni eau, ni vivres, ni boussole, ni cartes, isolés à des centaines de milles de la terre ferme, sans même savoir dans quelle direction celle-ci se trouvait.

Le major Peuchen avait abandonné la partie ; les femmes essayèrent de lui redonner du courage. Mme Candee lui montra l'étoile polaire ; Mme Brown lui dit de ramer ; Mme Meyer fit appel à son amour-propre. Sans aucun résultat.

Ils rencontrèrent le canot n° 16 et s'y attachèrent. Hitchens donna l'ordre de se laisser dériver. Mais les femmes, qui ne pouvaient pas supporter le froid, voulurent continuer à ramer pour se tenir chaud.

Mme Brown prit le commandement, donna une rame à un chauffeur transféré du n° 16 et ordonna à tout le monde de ramer. Hitchens se leva et lui intima l'ordre de se taire. Mme Brown cria que s'il s'approchait d'elle, elle le ferait passer par-dessus bord. Il se rassit, s'enveloppa dans une couverture et commença à l'injurier copieusement. Mme Meyer l'accusa de prendre toutes les couvertures et de boire tout le whisky. Hitchens la traita de tous les noms. Le nouvel arrivé, le chauffeur, se demandant dans quelle nef de fous il était tombé, cria au quartier-maître :

– Vous vous rendez compte que vous parlez à une dame ?

Hitchens lui répondit en hurlant :

– Je sais à qui je parle, et c'est moi qui commande ici !

Mais la remarque du chauffeur eut tout de même de l'effet. Le quartier-maître se tut. Et le n° 6 continua à avancer au hasard dans la nuit. Hitchens était silencieux, Peuchen oublié, et Mme Brown avait pris la tête de l'embarcation.

Les hommes qui s'accrochaient désespérément au canot B trouvaient eux aussi le temps de se dire des choses désagréables. Le colonel Gracie, claquant des dents et les cheveux complètement gelés, vit que son voisin avait une casquette fourrée. Il lui demanda de la lui prêter le temps de se réchauffer, mais l'autre lui répondit méchamment :

– Et moi ? Vous y pensez ?

Sur le B, la tension était palpable.

L'air passait à travers la coque de toile et, à chaque minute, l'embarcation s'enfonçait un peu plus dans l'eau. Des vagues passaient déjà par-dessus la quille, et le moindre mouvement brusque pouvait précipiter tout le monde à l'eau. Ce qu'il fallait, c'était qu'une personne de sang-froid prît le commandement.

Tout d'un coup, Gracie eut le soulagement d'entendre la voix chaude et profonde du deuxième officier Lightoller, et surtout d'entendre ensuite un homme de l'équipage dire :

– Obéissons aux ordres de l'officier !

Seule une action d'ensemble, intelligente et bien coordonnée, pouvait permettre de maintenir l'embarcation sur l'eau. Lightoller agit immédiatement. Il ordonna aux trente rescapés de se mettre debout sur deux rangs, de chaque côté de la quille, et de se tourner vers lui, c'est-à-dire vers l'avant. Puis, à chaque mouvement sur la surface de l'eau, il se mit à leur crier : « Penchez-vous à droite... Debout, tout droit... Penchez à gauche... », pour contrebalancer l'action de la houle.

Au début, en même temps qu'ils faisaient ce que Lightoller leur disait, les gens criaient : « Ohé ! du canot ! Du canot ! » Mais il leur conseilla de se taire pour économiser leurs forces.

Il faisait de plus en plus froid. Gracie se plaignit encore de sa tête, mais cette fois-ci à Lightoller. Un homme leur tendit à tous deux une flasque. Lightoller refusa, mais désigna Walter Hurst qui, à côté d'eux, frissonnait. Hurst crut que c'était du brandy et avala une grande gorgée. Il faillit s'étrangler. C'était de l'alcool de menthe.

Ils n'arrêtaient pas de parler, de discuter. L'assistant cuisinier John Maynard raconta que le capitaine Smith était en train de nager le long du bord juste avant que le *Titanic* ne disparaisse sous l'eau. On avait essayé de le faire monter, mais il était retombé.

Le chauffeur Harry Senior déclara qu'à son avis, le capitaine s'était laissé retomber exprès, pour suivre le navire jusqu'au tombeau. Hurst, lui, assurait que le capitaine n'était jamais arrivé jusqu'à l'embarcation. Du reste, Senior fut l'un des derniers à arriver – vraisemblablement trop tard pour avoir pu voir le capitaine lui-même.

Ils estimèrent surtout leurs chances de s'en sortir. Lightoller reconnut Harold Bride tout à l'arrière du bateau et lui demanda quels navires étaient en route vers eux. Bride lui cria :

– Le *Baltic*, l'*Olympic* et le *Carpathia* !

Lightoller calcula que le *Carpathia* arriverait sans doute vers le lever du jour et l'annonça à tous pour redonner du courage à ceux qui commençaient à flancher.

Dès lors, chacun se mit à fouiller l'horizon. De temps en temps, les fusées vertes que lançait Boxhall dans le canot n° 2 éveillaient en eux de faux espoirs. Lightoller lui-même crut un moment qu'elles venaient d'un autre navire.

La nuit passait lentement. Vers l'aube, une brise légère se leva. L'air était plus froid que jamais. De petites vagues commençaient à agiter la surface de l'eau, de petites vagues courtes et glacées qui trempaient jusqu'aux genoux les occupants du B. L'écume leur piquait la peau et les aveuglait. Un homme, un autre, encore un autre, basculèrent dans l'eau et disparurent. Tous les autres se taisaient, complètement absorbés par leur lutte désespérée contre la mort.

Pas un bruit sur la mer non plus. Aucune trace de vie à l'horizon. Il n'y avait rien de vivant sur tout l'Atlantique quand les premières lueurs grises de l'aube commencèrent à décolorer la nuit.

Un homme, pourtant, était toujours en vie – grâce à la chance, à son initiative et à une bonne dose d'alcool.

Quatre heures plus tôt, à bord du *Titanic*, le chef boulanger Charles Joughin avait été réveillé, comme beaucoup d'autres, par l'étrange grincement. Comme beaucoup d'autres aussi, il avait reçu l'ordre de se rendre en haut, aux embarcations. Mais il avait réfléchi un moment avant de monter. Il se dit qu'à bord des embarcations de sauvetage, on aurait besoin de provisions. De sa propre initiative, il envoya donc son équipe de treize boulangers fouiller le garde-manger du *Titanic* pour y prendre tout le pain qui s'y trouvait. Après quoi, il les escorta jusque sur le pont des embarcations ; chacun portait quatre miches dans les bras.

Ceci fait, il se retira dans sa cabine, sur le pont E, pour y prendre une goutte de whisky. Vers 0 h 30, il se sentit suffisamment en forme pour remonter à son canot, le n° 10. A cette heure-là, on avait encore du mal à persuader les femmes de s'embarquer ; Joughin usa carrément de la manière forte. Il descendit sur le pont-promenade et ramena plusieurs femmes avec lui. Puis, pour se servir de ses propres mots, il les « lança » dans le canot. Brutal, peut-être ; efficace, sûrement.

Joughin avait été désigné comme patron du n° 10, mais, voyant qu'il y avait assez d'hommes à bord pour s'occuper du canot, au lieu de rester dedans, il sauta sur le pont du *Titanic*, et aida à mettre l'embarcation à la mer. « Partir, dit-il plus tard, ç'aurait été donner le mauvais exemple. »

Il était maintenant 1 h 20. Il redégringola les escaliers jusqu'à sa cabine et avala encore un autre verre. Il s'assit sur sa couchette pour le déguster avec tout le recueillement voulu – et il se rendit compte, mais sans s'inquiéter autrement, que le plancher était déjà sous l'eau.

Vers 1 h 45, il aperçut le vieux docteur O'Loughlin ! Joughin n'était pas en état de se demander ce que le chirurgien venait faire par là – mais la proximité de l'office permet de croire qu'il devait avoir eu à peu près la même idée que Joughin, lequel le salua, puis retourna sur le pont des embarcations. Il n'était que temps : le *Titanic* piquait tellement du nez que, si le boulanger était arrivé quelques minutes plus tard, il n'aurait pas pu monter les escaliers.

Tous les canots étaient partis, mais Joughin ne se sentit pas découragé pour autant. Il redescendit sur le pont B et se mit à lancer des transats par les fenêtres du pont-promenade. On le regarda faire, mais personne ne l'aida. En tout, il en envoya plus de cinquante par-dessus bord. Puis, il partit se reposer dans l'office, sur le côté droit du pont A. Il était 2 h 10.

Pendant qu'il étanchait sa soif, cette fois-ci avec de l'eau, il y eut un fracas assourdissant : les tasses et les soucoupes se mirent à dégringoler, les lampes baissèrent, et il entendit au-dessus de lui le piétinement d'une foule de gens courant vers l'arrière.

Il sortit de l'office comme un diable et se mit à courir après une troupe qui venait de descendre. Il sauta plutôt qu'il ne descendit sur le pont B. Juste à ce moment-là, le *Titanic* se retourna tout d'un coup sur la gauche. Des centaines de personnes allèrent s'écraser les uns contre les autres le long du bastingage.

Mais lui, Joughin, ne perdit pas l'équilibre. Alerte et détendu, il suivait le mouvement du navire qui se redressait. Le pont était trop incliné maintenant pour pouvoir rester debout. Joughin enjamba le bastingage sur le côté droit et se mit carrément debout sur le côté du navire. De là, à l'extérieur, il monta, monta, et, se tenant toujours au bastingage, parvint jusqu'à la poupe. Le navire était maintenant absolument vertical, et lui se trouvait à plus de 30 mètres au-dessus de l'eau.

Sans paniquer, il ajusta sa ceinture de sauvetage. Il regarda l'heure : 2 h 15. Il réfléchit un moment, puis ôta sa montre et la mit dans sa poche-revolver. Il commençait à se demander s'il allait devoir rester longtemps dans cette position inconfortable quand il sentit que la poupe s'abaissait sous ses pieds, comme un ascenseur en train de descendre. Quand la poupe disparut, Joughin se mit à l'eau, sans se mouiller un seul cheveu.

Il nagea dans la nuit, nullement incommodé par l'eau glacée. Il était 4 heures quand il aperçut quelque chose dans la première grisaille de l'aube. Il crut que c'était une épave, mais, en s'approchant, il vit que c'était un canot, la quille en l'air. Un canot couvert de monde. Il n'y avait pas moyen de monter dessus, aussi se contenta-t-il de tourner tout autour à la nage pendant un bon moment. C'est alors qu'il reconnut un vieil ami de la cuisine, le chef John Maynard, qui l'aperçut lui aussi, lui tendit la main et l'aida à grimper, tout dégoulinant d'eau, mais toujours en pleine forme.

Les autres étaient trop engourdis pour faire attention à lui. D'autre part, un événement venait de se produire au sud-ouest – un éclair suivi d'un « boum » très lointain. Dans le canot n° 6, Mlle Norton s'écria :

– Un éclair !

Hitchens grogna :

– C'est un météore !

Dans le n° 13, un chauffeur étendu au fond du canot, pratiquement évanoui de froid, se redressa tout d'un coup en criant :

– Un coup de canon !

Peu après, un feu apparut sur l'horizon, puis un autre, puis toute une rangée de lumières. Un paquebot arrivait à toute vitesse et envoyait des fusées pour montrer aux rescapés du *Titanic* qu'il venait à leur secours.

Dans le canot n° 9, le mousse Paddy Mc Gough dit :

– Prions Dieu pour le remercier, car voici un navire qui vient nous sauver !

Sur le canot B, il y eut un cri de joie et tout le monde se remit à parler. Quelqu'un alluma un journal dans le n° 3 et l'agita en tous sens ; puis, on décida d'enflammer le chapeau de paille de Mme Davidson, qui brûlerait pendant plus longtemps. Dans le canot de Mme A. S. Jerwan, on imbiba des mouchoirs avec du pétrole et on les alluma. Dans le n° 13, on fit une torche avec un paquet de lettres. Boxhall envoya sa dernière fusée verte dans le n° 3. Dans le n° 8, Mme White agitait sa canne avec plus d'énergie que jamais.

On entendait partout des cris et des exclamations. La nature elle-même semblait s'adoucir. L'horrible nuit était finie, maintenant c'était une aube radieuse, mauve et corail.

Un homme, cependant, ne put partager l'enthousiasme général. Dans le canot A, à moitié submergé, Olaus Abelseth essayait d'insuffler le désir de vivre à un homme sur le point de mourir de froid, allongé à côté de lui. Comme le jour se levait, il prit l'homme par les épaules et le souleva pour le faire asseoir.

– Regardez ! lui dit Abelseth. On voit un bateau !
Courage !

Il prit l'une de ses mains dans la sienne et la leva
en l'air. Il le secoua par les épaules. L'homme lui
répondit seulement :

– Qui êtes-vous ?

Et, une minute plus tard :

– Laissez-moi... Qui êtes-vous ?

Abelseth le soutint par-derrière un moment, mais
il était si fatigué lui-même qu'il finit par prendre une
planche pour lui faire un dossier.

Une demi-heure plus tard, le ciel resplendissait,
rose et doré. Mais il était trop tard ; l'homme était
mort.

# 9

A bord du *Carpathia,* Mme Ann Crain, tranquillement allongée dans sa cabine, se demanda ce qui se passait. Depuis quatre jours, déjà, ils avaient quitté New York pour la Méditerranée, et rien jusqu'ici n'était encore venu troubler le calme et la monotonie des nuits. Il était presque 1 heure du matin quand elle entendit, et sentit même qu'on était en train de moudre du café dans l'office.

Dans une cabine voisine, Mme Ann Peterson ne dormait pas, elle non plus. Pourquoi laissait-on toutes les lumières allumées sur le pont ? se demandait-elle. D'habitude, tout était déjà éteint depuis un bon moment sur ce vieux *Carpathia.*

Sur le pont A, Howard M. Chapin, lui, était franchement inquiet. Il venait de se réveiller brusquement : il était un peu plus de minuit, et quelqu'un travaillait juste au-dessus de sa tête ! Son lit se trouvait exactement en dessous du pont des embarcations, et, la veille, il avait remarqué qu'un garant de canot de sauvetage était amarré à un taquet presque à cet endroit.

Pas de doute : là-haut, on était en train de préparer le canot. Quelque chose ne tournait donc pas rond.

Tout près de là, Mme Louis M. Ogden se réveilla elle aussi. Le navire vibrait anormalement. Il faisait froid dans la cabine, et elle entendit des bruits étranges au-dessus d'elle. Elle réveilla son mari, mais celui-ci ne fit qu'ajouter à son inquiétude – pour lui, c'était des hommes d'équipage en train de retirer les cales des canots de sauvetage. Il sortit dans le corridor et tomba sur un défilé de garçons de cabine chargés de matelas et de couvertures. Assez inquiétant, ça...

Partout sur le navire, les passagers au sommeil léger se réveillaient en entendant des pas, des bruits d'objets déplacés, des ordres donnés à mi-voix. Tous, ils se demandaient pourquoi le martèlement de la machine était tellement plus brutal, plus rapide que d'habitude, pourquoi ils étaient tant secoués dans leur lit, pourquoi sur les lavabos les verres tintaient dans leur support, pourquoi les boiseries craquaient. Il n'y avait plus que de l'eau froide – rien n'arrivait par le robinet d'eau chaude, comme si la machine utilisait jusqu'à la dernière goutte de vapeur disponible.

Plus étrange encore : il faisait un froid piquant. Le *Carpathia* avait quitté New York le 11 avril pour Gibraltar, Gênes, Naples, Trieste et Fiume avec cent cinquante passagers de première classe, pour la plupart des Américains d'un certain âge partis trouver un climat plus clément, et cinq cent soixante-quinze passagers de deuxième et de troisième classe, dans leur majorité des Italiens et des Slaves, retournant sur les rivages de leur Méditerranée ensoleillée. Tous, ils avaient passé l'après-midi du dimanche, heureux, à se baigner dans la brise chaude du Gulf Stream. Il faisait même si chaud vers 17 heures que M. Chapin était allé s'allonger à l'ombre, dans son transat. Mais cette nuit-là, un vent glacial soufflait, qui s'insinuait absolument partout, dans les moindres fentes et par les moindres interstices – comme si l'on s'était perdu en plein océan Arctique.

Sur la passerelle, le capitaine Arthur H. Rostron se demandait s'il avait bien pensé à tout. Il avait passé vingt-sept ans de sa vie sur mer – dont dix-sept avec la Cunard –, mais il était capitaine depuis seulement deux ans, dont trois mois sur le *Carpathia*. L'appel de détresse du *Titanic* allait le mettre réellement à l'épreuve pour la première fois.

Quand le « CQD » était arrivé, Rostron s'était déjà retiré dans sa cabine. Sans perdre un instant, l'opérateur radio, Harold Cottam, était descendu sur la passerelle porter le message au second. Ils avaient dégringolé tous les deux l'escalier et fait irruption comme des fous dans la cabine du capitaine, qui, en les voyant, se demanda ce qui pouvait bien arriver. Même à moitié endormi, il restait assez pointilleux sur la discipline ; or, ils auraient dû frapper. Mais, avant même qu'il eût le temps de les réprimander, Dean, le second, l'avait mis au courant.

Rostron bondit hors de son lit, ordonna de virer immédiatement, puis, pour s'assurer, demanda à Cottam :

– Vous êtes certain que c'est bien le *Titanic* et qu'il demande une aide immédiate ?

– Oui, capitaine.

– Absolument sûr ?

– Absolument.

– Bon, dites-lui que nous arrivons aussi vite que possible.

Rostron monta en courant dans la chambre des cartes. Il avait à peine commencé à calculer la nouvelle route à suivre qu'il aperçut le maître d'équipage qui emmenait quelques hommes avec lui laver les ponts. Rostron lui demanda de remettre le nettoyage à plus tard et de préparer les canots de sauvetage. Comme le maître d'équipage restait immobile, l'air incrédule, Rostron le rassura :

– Ne vous inquiétez pas, nous allons au secours d'un navire en perdition.

Et il retourna à ses calculs. Il eut vite fait de déterminer la nouvelle route – 52° NO. Le *Titanic* se trouvait à 58 milles d'eux. A la vitesse de 14 nœuds, ils mettraient quatre heures pour y arriver. C'était trop long.

Rostron envoya chercher le premier officier mécanicien et lui ordonna de faire tourner la machine à plein régime, de réveiller tous les hommes qui n'étaient pas de quart, de fermer le chauffage et l'eau chaude, de pousser les chaudières au maximum...

Puis il fit venir son second, Dean, et lui enjoignit d'interrompre immédiatement tous les travaux de routine et de préparer tout en vue du sauvetage : découvrir toutes les embarcations et les faire basculer sur leurs bossoirs, installer des projecteurs électriques tout le long du bastingage, mettre les passerelles en service, préparer des élingues pour aider blessés, enfants et malades à monter à bord, installer des échelles de corde le long des bords, des échelles de coupée aux passerelles et des filets sous les passerelles, gréer les mâts de charge à l'avant pour hisser les bagages et le courrier – et penser à faire tourner les treuils, avoir de l'huile toute prête des deux côtés du pont pour le cas où la mer deviendrait mauvaise...

Puis, il appela le docteur McGhee et lui demanda de rassembler tous les reconstituants et les stimulants disponibles à bord, et d'organiser des postes de premiers secours dans chaque salle à manger ; le docteur hongrois s'occuperait de la troisième classe, le docteur italien de la deuxième, et McGhee lui-même de la première.

Quant à Brown, le commissaire, il veillerait qu'au moment du sauvetage le chef steward, le deuxième commissaire et lui-même se trouvassent chacun au sommet d'une passerelle différente pour recevoir les passagers du *Titanic,* prendre leur nom et les faire conduire chacun dans la salle à manger correspondant à leur classe afin d'y recevoir les soins nécessaires.

Le chef steward Harry Hughes s'assurerait pour sa part que tous ses hommes fussent sur pied ; il ferait distribuer du café à tout l'équipage, ferait préparer de la soupe, du thé, du café, de l'alcool et du whisky pour les naufragés, ferait empiler des couvertures près de chaque passerelle, transformer fumoirs, salons et bibliothèque en dortoirs, confinerait tous les passagers de pont dans le moins d'espace possible pour faire de la place à ceux du *Titanic.*

Le capitaine recommanda à tous de faire exécuter ces ordres le plus discrètement possible : il y avait assez de travail ainsi pour ne pas devoir en plus s'occuper des passagers du *Carpathia.* Mieux valait qu'ils dorment encore ; le plus longtemps possible. Précaution supplémentaire : on plaça des garçons de cabine aux deux extrémités de chaque corridor, avec pour instruction d'informer les passagers curieux ou inquiets que le *Carpathia* ne courait aucun danger, et de leur demander de bien vouloir rentrer dans leur cabine.

Il envoya un inspecteur avec le maître d'armes et quelques hommes auprès des passagers de pont.

Nul ne pouvait prévoir quelle serait leur réaction quand on leur enjoindrait de déménager.

Une activité bouillonnante s'empara du vieux navire. Dans la chambre des machines, on aurait dit que tout le monde n'était occupé qu'à jeter du charbon dans les chaudières. Les hommes qui n'étaient pas de quart sautèrent de leurs couchettes et se précipitèrent pour prêter main forte à leurs camarades – la plupart d'entre eux ne prirent même pas le temps de s'habiller. Et, petit à petit, la vitesse augmenta : 14 nœuds... 14,5... 15... 16,5... 17... Qui aurait cru que le *Carpathia* pouvait aller aussi vite ?

Dans les logements de l'équipage, le garçon de cabine Robert H. Vaughan se réveilla en sursaut. Quelqu'un venait de lui enlever sa couverture. Une voix lui ordonna de se lever et de s'habiller. Il faisait noir comme dans un four, mais il se rendit compte que ses camarades étaient en train de s'habiller eux aussi. Il demanda ce qui arrivait ; la même voix lui apprit qu'ils venaient de heurter un iceberg.

A tâtons, Vaughan alla regarder par le hublot. Le navire marchait comme d'habitude. Le long du bord passaient les mêmes petites vagues, avec les mêmes petites crêtes d'écume. Il n'y comprenait rien – par-dessus le marché, quelqu'un leur avait pris leur unique ampoule électrique ; il fallait se débrouiller dans l'obscurité.

Tous montèrent sur le pont. Un officier leur demanda de rassembler toutes les couvertures disponibles. Après, on les envoya dans la salle à manger de première classe. Ils y trouvèrent une équipe en train de déplacer les chaises et les tables, de prendre les bouteilles du bar pour les mettre sur le buffet, etc. Personne ne leur avait encore rien expliqué. Le bruit courut que le capitaine avait besoin de trois mille couvertures pour « autant de gens ». Mais personne ne savait pourquoi.

A 1 h 15, ils apprirent enfin la raison de toute cette agitation. On les rassembla tous dans la grande salle à manger. Le chef steward évoqua le naufrage du *Titanic,* leur expliqua leur mission, s'arrêta un moment, et leur dit en conclusion :

– Que chacun soit à son poste et fasse son devoir. Et si la situation l'exige, soyons tous prêts à ajouter une page glorieuse à l'histoire britannique.

Et il les renvoya à leur travail. La plupart d'entre eux étaient occupés à sortir les couvertures des armoires à lingerie et à les emporter près des passerelles.

Louis Ogden les aperçut en ouvrant la porte de sa cabine. Nullement rassuré, il décida un peu plus tard de retourner aux informations, mais, à peine sorti dans le corridor, il tomba sur le docteur McGhee qui lui dit :

– Restez dans votre cabine, je vous prie. Ordres du capitaine.

– D'accord, mais que se passe-t-il ?

– Un accident, mais pas à nous. Ne sortez pas.

M. Ogden retourna informer sa femme du peu qu'il avait appris. Pour une raison mystérieuse, il était persuadé qu'un incendie s'était déclaré à bord et que, s'ils marchaient si vite, c'était pour aller chercher du secours. Il s'habilla à moitié et sortit sur le pont. Là, il finit par trouver un quartier-maître qu'il connaissait, et qui lui livra carrément la clef du mystère :

– Le *Titanic* a subi une avarie.

– Vous feriez mieux de trouver quelque chose d'autre ! s'écria Ogden, triomphant. Le *Titanic* fait

169

route au nord, et nous, nous marchons bien plus au sud !

— Nous filons vers le nord à toute vitesse ! Rentrez dans votre cabine !

M. Ogden retourna encore une fois mettre sa femme au courant.

— Tu y crois ? lui demanda-t-elle.

— Non. Lève-toi et habille-toi chaudement.

M. Ogden était sûr que l'on cherchait à lui cacher la vérité. D'ailleurs, le *Titanic* était insubmersible. McGhee lui avait raconté une histoire, et une histoire qui le confirmait dans ses craintes. Le *Carpathia* était en péril. Il fallait s'échapper.

Ils s'arrangèrent pour retourner sur le pont. Ils y retrouvèrent d'autres passagers qui avaient eu la même idée qu'eux, de petits groupes inquiets qui se cachaient de l'équipage, mais qui finirent bientôt par se rendre compte que tout allait bien à bord du *Carpathia*. Et pourtant, malgré les bruits qui couraient à propos du *Titanic*, chacun continuait à se demander ce que signifiait cette course folle au milieu de la nuit. Or, ils ne pouvaient poser de questions, au risque de se voir renvoyés dans leurs cabines. Ils se contentaient donc de rester immobiles, cachés dans l'ombre, inquiets mais impuissants.

Au-dessus de la salle à manger de deuxième classe, Harold Cottam, opérateur radio, cherchait vainement à entrer en contact avec le *Titanic*. Son poste était si faible — une portée de 150 milles au maximum — qu'il ne savait à quoi attribuer la raison de ce silence. Le *Titanic* émettait encore, peut-être, mais avec trop peu de force pour qu'il pût recevoir ses signaux. D'un autre côté, tous les messages qu'il avait reçus jusqu'à présent étaient très inquiétants.

A 1 h 06, Cottam l'entendit qui envoyait à l'*Olympic* : « Préparez vos canots de sauvetage. Nous coulons de l'avant... » Puis, à 1 h 10 : « Nous coulons rapidement de l'avant », et, à 1 h 35 : « La chambre des machines sous l'eau... »

Le *Titanic* avait demandé au *Carpathia* dans combien de temps ils arriveraient. Rostron avait fait répondre : « Dans quatre heures à peu près. » Il ne savait pas encore ce dont le *Carpathia* était capable.

A 1 h 50, ils reçurent le dernier message : « Arrivez aussi vite que vous pouvez. Chaudières presque noyées. »

Et depuis, plus rien. Le silence.

Il était maintenant 2 heures, et Cottam était toujours devant son poste. Mlle Peterson, passant par là à ce moment, remarqua qu'il était en bras de chemise, malgré le froid piquant. Quand le premier « CQD » était arrivé, il commençait juste à se déshabiller, et depuis il n'avait pas eu une minute pour remettre sa veste.

Sur la passerelle, Rostron se demandait ce qu'il pouvait avoir oublié. Tout était prêt, il avait donné tous les ordres ; restait le plus difficile : attendre. Près de lui, son deuxième officier, James Bisset ; à l'avant, des vigies supplémentaires, à l'affût du moindre bloc de glace, du moindre signe du *Titanic*. Mais jusqu'ici, rien – la mer comme un miroir, les étoiles brillantes, et l'horizon net, clair et vide.

A 2 h 35, le docteur McGhee monta sur la passerelle prévenir le capitaine que tout était prêt, en bas. Pendant qu'ils parlaient, Rostron aperçut tout d'un coup une lueur verte sur l'horizon, un demi-quart à gauche.

– C'est lui, c'est son feu ! s'écria-t-il. Il flotte encore !

171

La lueur, nette, venait de très loin, il fallait que les feux du *Titanic* fussent encore bien au-dessus de l'eau. Il n'était que 2 h 40 – peut-être le *Carpathia* arriverait-il à temps.

Puis, à 2 h 45, Bisset aperçut quelque chose qui brillait vaguement deux quarts à gauche. C'était le premier iceberg qui réfléchissait la lumière d'une étoile. Puis un autre iceberg, puis un autre encore. Maintenant, le *Carpathia* était entouré de tous côtés. Il dut louvoyer, mais sans jamais ralentir son allure, avec pour seule sauvegarde les yeux des vigies qui cherchaient à percer la nuit. De temps en temps, on apercevait encore une lueur verte dans le lointain.

Maintenant que tout était prêt, les garçons de cabine pouvaient se reposer un peu. A l'arrière, Robert Vaughan et ses camarades chahutaient entre eux, comme de jeunes boxeurs avant un match. Un immense iceberg passa soudain tout près du bord, sur la droite.

– Les gars, vous avez vu l'ours polaire en train de se gratter ! s'écria l'un d'entre eux.

Tout le monde éclata de rire.

Et le *Carpathia* fonçait toujours. On commença à lancer des fusées. Une toutes les quinze minutes, et un signal de la Cunard entre deux. Le bruit courut que le *Titanic* était en vue. Les garçons se précipitèrent dans la grande salle à manger. Les chauffeurs poussèrent encore les chaudières. Aux passerelles, aux canots de sauvetage, tous les hommes étaient prêts. Tout le monde était surexcité, et le *Carpathia* lui-même tremblait de toute sa carcasse.

– Le vieux bateau était aussi excité que nous, dit plus tard un matelot qui prit part au sauvetage.

Mais Rostron était rongé d'inquiétude. A 3 h 35, ils étaient tout près de l'endroit où le *Titanic* aurait dû

172

se trouver, et ils ne voyaient rien. La lumière verte était-elle beaucoup plus éloignée qu'il ne l'avait pensé d'abord ? S'il l'avait vue si tôt, c'était parce que la nuit était particulièrement claire. A 3 h 50, il envoya le premier signal aux machines. A 4 heures, il arrêta le navire – ils y étaient.

A ce moment précis, ils aperçurent une nouvelle lueur verte, juste en face d'eux, à 300 mètres peut-être, et cet éclairage imprécis leur permit de distinguer vaguement les contours d'un canot de sauvetage. Rostron redémarra les machines et commença à manœuvrer vers la droite pour avoir le canot à sa gauche ; c'était le côté qui se trouvait sous le vent. Aussitôt après, il aperçut un énorme iceberg juste en face de lui, et dut faire manœuvre inverse pour l'éviter.

Le petit canot se trouvait maintenant du côté du vent. Comme le *Carpathia* était presque sur lui, le vent se leva brutalement et la mer se mit à clapoter. Ils entendirent qu'on leur criait :

– Nous n'avons qu'un matelot et nous avons du mal à manœuvrer !

– Compris ! leur répondit Rostron.

Et il continua à manœuvrer doucement vers lui. Un moment après, la même voix criait :

– Arrêtez vos machines !

C'était Boxhall, le quatrième officier du *Titanic,* à bord du canot n° 2. Mme Walter Douglas, qui se trouvait à côté de lui, se mit à hurler d'une voix hystérique :

– Le *Titanic* a coulé avec tout le monde à bord !

– Taisez-vous ! lui ordonna Boxhall.

Sa fermeté eut un effet salutaire. Mme Douglas retrouva tout d'un coup son sang-froid et reconnut plus tard qu'il avait eu raison de lui parler aussi brusquement.

Sur le *Carpathia,* personne ne l'avait entendue. Tout le monde avait les yeux rivés sur le petit canot qui sautait sur les vagues. Ce qui frappa Mme Ogden à ce moment-là – ce dont elle se souvint plus tard –, ce fut l'emblème de la White Star peint sur le côté de l'embarcation, et surtout les ceintures de sauvetage. On aurait dit que tout le monde était habillé en blanc. Mme Crain, elle, remarqua surtout les traits pâles et tirés de tous ces gens. On n'entendait pas un bruit, sauf un bébé qui pleurait quelque part, au fond du canot.

On envoya des lignes d'attrape. Un instant plus tard, le canot était amarré. Il y eut un moment d'hésitation. A 4 h 10, Mlle Elizabeth Allen était la première rescapée à monter à bord. Elle s'écroula dans les bras du commissaire Brown qui lui demanda où était le *Titanic.* Elle lui répondit qu'il avait coulé.

Sur la passerelle, Rostron l'avait déjà compris, mais certaines formalités restaient indispensables. Pour s'en débarrasser le plus vite possible, il envoya chercher Boxhall ; lorsqu'il eut enfin devant lui le quatrième officier, tremblant de froid et de fatigue, il lui demanda :

– Le *Titanic* est-il au fond ?

– Oui – et la voix de Boxhall se brisa en prononçant ces mots. Il a coulé à 2 h 30 à peu près.

Il faisait à moitié jour. Dans un rayon de 2 milles apparaissaient à chaque instant de nouveaux canots de sauvetage, difficiles à distinguer de la multitude de petits icebergs qui couvraient la mer, dominés par trois ou quatre énormes montagnes de glace hautes de plusieurs dizaines de mètres. A 5 milles au nord et à l'ouest s'étendait à perte de vue un champ de glace ininterrompu, au-dessus duquel s'élevaient çà et là quelques énormes icebergs.

C'était un spectacle si étonnant, si invraisemblable, qu'en le voyant, ceux des passagers qui avaient dormi jusque-là eurent de la peine à en croire leurs yeux. Mme Wallace Bradford, de San Francisco, après avoir regardé par son hublot, refusa un moment d'accepter le témoignage de ses sens. Elle pouvait voir, à un demi-mille de là, un énorme pic brunâtre au profil tout déchiqueté, qui se dressait en pleine mer, comme un rocher. « Comment diable pouvons-nous être partis de New York il y a quatre jours, se demanda-t-elle, avoir fait route au sud et nous trouver maintenant nez à nez avec ce rocher ? »

Mlle Sue Eva Rule, de Saint Louis, en était au même point. En apercevant un bateau de sauvetage dans la lumière encore vague du petit matin, elle crut que c'était la nacelle d'un dirigeable naufragé, comme une masse sombre qui se profilait derrière l'embarcation le lui suggérait.

Un autre passager sortit en courant de sa cabine pour chercher sa femme de chambre. Avant même qu'il eût le temps d'ouvrir la bouche, elle lui désigna tout un groupe de femmes qui entraient, l'air épuisé, dans la salle à manger, et lui dit en pleurant :

– Des naufragées du *Titanic*. Il est au fond de l'océan.

A 10 milles de là, au lever du jour, la vie reprenait à bord du *Californian*. A 4 heures, le second, George Frederick Stewart, monta sur la passerelle pour prendre son quart.

Le deuxième officier, Stone, que Stewart venait relever, le mit au courant des événements de la nuit – l'étrange navire qui avait disparu après avoir lancé des fusées. Il ajouta qu'à 3 h 40, il avait vu une autre fusée, mais au sud celle-là, et qui ne venait certainement pas du navire qui avait lancé les huit premières. Puis il rejoignit sa cabine. Stewart prit la relève.

A 4 h 30, Stewart alla réveiller le capitaine Lord et lui raconta ce que Stone lui avait dit.

— Oui, je sais, l'interrompit le capitaine. Il me l'a déjà dit.

Il se leva, s'habilla, monta sur la passerelle et commença à inspecter la mer couverte de blocs de glace. Stewart lui demanda si, avant de faire route sur Boston, il n'allait pas tâcher de savoir si ce navire, que l'on distinguait maintenant très nettement au sud, n'avait pas besoin d'eux.

— Non, lui répondit Lord. Je ne crois pas que ce soit nécessaire. Il n'envoie pas de signaux.

Stewart n'insista pas — il ne prit même pas le soin de rappeler au capitaine que Stone, en descendant dans sa cabine, lui avait dit qu'à son avis le navire au sud n'était sûrement pas le même que celui qui avait lancé les huit premières fusées.

Mais Stewart était inquiet et, à 5 h 40, il alla réveiller le radio Evans.

— Un navire a lancé des fusées, lui dit-il. Voulez-vous voir si vous pouvez obtenir de plus amples renseignements ?

Evans rejoignit son poste et coiffa ses écouteurs. Deux minutes plus tard, Stewart arrivait en courant sur la passerelle et criait :

— Il y a un navire qui a coulé !

Puis il retourna auprès du radio et, toujours en courant, revint annoncer au capitaine l'effrayante nouvelle :

— Le *Titanic* a heurté un iceberg et a coulé !

Le capitaine Lord fit exactement ce que tout bon capitaine aurait fait à sa place. Il fit immédiatement mettre en route et dirigea son navire sur la dernière position du *Titanic*.

## 10

– Oh ! maman, regarde le joli pôle Nord sans Père Noël dessus ! dit le jeune Douglas Speddon à sa mère, à bord du canot n° 3 qui se frayait un chemin vers le *Carpathia*, au milieu des blocs de glace.

Le soleil venait juste de monter au-dessus de l'horizon et ses rayons jetaient sur les icebergs des reflets extraordinairement blancs, roses, mauves ou bleu foncé, selon l'angle sous lequel ils venaient les frapper. La mer était maintenant bleu clair, parsemée de petits glaçons souvent pas plus gros que le poing et qui tressautaient sur les vagues. En haut, vers l'est, resplendissait un ciel bleu et or qui promettait une journée merveilleuse. A l'ouest régnaient encore les ombres de la nuit. Lawrence Beesley s'est souvenu plus tard d'avoir regardé l'étoile du matin, encore brillante longtemps après que toutes les autres étoiles eurent disparu.

Très bas sur l'horizon, un mince et pâle croissant de lune.

– La nouvelle lune ! Faites un vœu, les gars ! lança joyeusement le chauffeur Fred Barrett à ses compagnons du canot n° 13. Des hurlements de joie montaient de tous les canots. C'était à qui arriverait le premier au *Carpathia*. Dans un canot, on se mit à chanter. Dans un autre, on fit des bans en l'honneur du *Carpathia*. Mais beaucoup d'autres se taisaient – écrasés de tristesse ou saouls de bonheur.

– Ça y est ! Ça y est ! C'est fini, nous sommes sauvés ! lança la vigie Hogg aux femmes qui se trouvaient avec lui dans le n° 7, et qui restaient toutes silencieuses, pour essayer de leur redonner courage.

Pas de cris, pas de chansons non plus sur le canot B. Lightoller, Gracie, Bride, Thayer et les autres avaient trop de mal à rester en équilibre sur l'eau. La brise du matin rendait leur position encore plus dangereuse, leur stabilité plus précaire. Les vagues passaient par-dessus la coque retournée qui, chaque fois qu'elle penchait d'un côté ou de l'autre, en avant ou en arrière, laissait échapper un peu d'air et s'enfonçait un peu plus dans la mer. Lightoller lançait toujours ses ordres, et tous continuaient à lui obéir, malgré la fatigue intense.

Le *Carpathia* qui arrivait en même temps que l'aube, quel réconfort, quel coup de fouet pour eux ! Mais la partie n'était pas gagnée. Le *Carpathia* avait en effet stoppé à 4 milles de ceux-là, qui se demandaient s'ils pourraient tenir jusqu'à ce qu'on arrive à eux. Mais l'espoir revint d'un coup : à 800 mètres à peine arrivaient le n° 4, le n° 10, le n° 12 et le D, toujours encordés.

Les occupants du B se mirent à crier :

– Ohé ! Ohé ! Du canot !

Mais ils étaient trop loin pour être entendus. Lightoller sortit son sifflet de commandement de sa poche et siffla de toutes ses forces. Les hommes d'équipage pourraient non seulement l'entendre, mais comprendre aussi que c'était un officier qui les appelait.

Dans le n° 12, le matelot Frederick Clinch leva brusquement les yeux en entendant le coup de sifflet et crut voir une vingtaine d'hommes debout sur une cheminée de navire. Dans le n° 4, le soutier Samuel Hemming crut, lui, qu'ils étaient sur une plaque de glace. Ce qu'ils crurent voir n'a pas grande importance, du reste, car ils se détachèrent immédiatement des autres canots et se mirent à ramer aussi vite qu'ils le pouvaient vers le B. Ils avançaient lentement. Dès qu'ils furent à portée de voix, Lightoller leur cria :

– Venez nous prendre, vite !

Il était temps. Le B tenait si peu sur l'eau que le simple remous du n° 4 s'approchant faillit envoyer tout le monde à l'eau. Le quartier-maître Perkis eut besoin de toute son habileté pour amener le n° 4 contre le B, aux passagers duquel Lightoller recommanda de rester debout en passant sur les autres canots. Mais même ainsi, chaque fois qu'un passager sautait, la coque, ou ce qu'il en restait au-dessus de l'eau, tanguait de façon plus qu'inquiétante.

L'un après l'autre, ils passèrent dans les deux autres canots. Jack Thayer faisait tellement attention à ne pas tomber à l'eau en sautant dans le n° 12 qu'il ne remarqua même pas que sa mère se trouvait juste à côté, dans le n° 4. Elle était si engourdie par le froid et par le chagrin qu'elle ne vit pas son fils non plus. Quand ce fut le tour du colonel Gracie, il se laissa tomber sur les mains dans le n° 12, préférant se tordre les doigts plutôt que de prendre un bain. Le boulanger Joughin, toujours trempé, n'était pas si difficile : il lâcha la main de Maynard, se laissa tomber à l'eau et nagea jusqu'au n° 4. Il était toujours parfaitement insensible au froid.

181

Lightoller fut le dernier. Quand tout le monde fut passé dans les deux canots, il prit dans ses bras un homme inanimé et passa avec lui dans le n° 12, dont il prit le commandement. Quand le n° 12 quitta la coque retournée et commença à faire rame vers le *Carpathia*, il était 6 h 30 précises.

Au même moment, Lowe abandonnait ses recherches : voilà plus d'une heure que le n° 14 parcourait en tous sens le lieu du désastre, et il n'avait ramassé en tout que quatre personnes. Il était trop tard maintenant pour espérer en sauver d'autres. Il est impossible de vivre aussi longtemps dans une eau à - 3 °C. Le jour se levait et le *Carpathia* était en vue. Lowe décida de retourner aux autres canots, dont il avait pris le commandement, pour les conduire au navire qui venait à leur secours.

— Hissez la voile à l'avant ! ordonna-t-il au matelot F. O. Evans, comme la brise se levait.

Dans tous les autres canots, on avait négligé le mât et la voile, considérés comme gênants et juste bons à faire trébucher. Plusieurs canots s'en étaient même débarrassés avant de quitter le *Titanic*. D'autres les avaient gardés, et leurs occupants juraient chaque fois qu'ils se cognaient dessus, dans le noir. De toute façon, personne ne savait s'en servir. Sauf Lowe. Comme il l'expliqua plus tard, ceux qui n'ont jamais servi dans la marine à voile ne connaissent généralement rien à la voile ; lui avait passé plusieurs années sur des voiliers. Il s'en félicitait maintenant. Louvoyant avec science, le canot n° 14 filait bien ses 4 nœuds ; la proue fendait les vagues et les embruns brillaient dans le soleil levant.

Mais toute la petite flottille était éparpillée ; le n° 4 et le n° 12 étaient en train de récupérer les gens du B, et le n° 10 et le D s'étaient séparés pour arriver chacun de leur côté au *Carpathia*. Le D avait l'air assez mal en point – très bas sur l'eau et presque personne aux rames.

« Bon, se dit Lowe, je vais aller le prendre en remorque. »

Arrivé sur eux, il leur lança une ligne, et les deux canots s'encordèrent. A 1,5 mille de là, il aperçut le A, qui semblait complètement inondé et absolument immobile. Ses occupants n'étaient pas parvenus à monter sur les côtés et le plat-bord était juste au niveau de l'eau. De la trentaine de personnes qui y avaient pris place à l'origine, la plupart étaient tombées à l'eau pendant la nuit, paralysées par le froid. Il ne restait plus qu'une douzaine d'hommes à bord et une passagère de troisième classe, Mme Rosa Abbott. Ils étaient tous debout, dans l'eau glacée jusqu'aux genoux.

Lowe arrivait juste à temps. Il les prit tous à bord du n° 14 et repartit à la voile vers le *Carpathia*, abandonnant le A, dans lequel ne restaient que trois cadavres, dont il couvrit le visage avec leur ceinture de sauvetage, le manteau de fourrure de R. Norris William Jr et une bague appartenant au passager de troisième classe Edward P. Lindell, d'Helsingborg en Suède, que personne ne se souvint d'avoir vu de toute la nuit.

Tous les canots se traînaient lentement vers le *Carpathia*. Le n° 13 s'y amarra à 4 h 45. Lawrence Beesley grimpa le premier sur le pont, débordant de joie et de gratitude en sentant de nouveau le pont d'un vrai navire sous ses pieds. Juste derrière lui monta le docteur Washington Dodge, avec sa ceinture de sauvetage en souvenir.

Mme Dodge et son fils de cinq ans, Washington Jr, arrivèrent à 5 h 10 avec le n° 7. On fit monter le petit garçon à bord dans un sac postal que l'on hissa sur le pont. Un steward se précipita avec du café, mais Washington Jr déclara qu'il préférait du cacao. Le steward repartit en courant et revint avec le cacao demandé. Le service des paquebots britanniques !

A 6 heures, le canot n° 3 arrivait à son tour. M. et Mme Speddon montèrent à bord, impeccables. Derrière eux, les Henry Sleeper Harper, le guide Hamad Hassah et le pékinois Sun Yat-sen. M. Harper aperçut M. Ogden sur le pont et lui demanda, comme s'il venait de le quitter la veille au soir :

— Mais Louis, comment faites-vous donc pour avoir toujours l'air aussi jeune ?

Elizabeth Shutes, qui se trouvait dans le même canot, n'essaya même pas de monter à l'échelle. Elle s'assit dans un nœud de chaise qu'on fit à une corde et s'envola. Quelqu'un en haut cria :

— Attention les gars, c'est du fragile !

A 6 h 30, Bruce Ismay débouchait sur le pont en trébuchant, balbutiant : « Je suis Ismay... je suis Ismay... » Il tremblait de tous ses membres et dut s'appuyer contre une cloison. Le docteur McGhee s'approcha de lui.

— Voulez-vous entrer dans le salon prendre quelque chose de chaud, un potage ? lui dit-il.

— Non, non, je ne veux rien du tout.

— Si, allez prendre quelque chose, je vous en prie.

— Si vous vouliez seulement me laisser tranquille..., lâcha Ismay.

Mais il se reprit et ajouta après un moment de silence :

— Si vous pouviez me trouver un endroit où je puisse être seul, je vous en serais infiniment reconnaissant.

– Je vous en prie, insista patiemment le docteur, allez au salon prendre quelque chose de chaud.

– Je ne préfère pas.

Le docteur McGhee n'insista pas. Il conduisit Ismay jusqu'à sa propre cabine. Jusqu'à la fin du voyage, Ismay n'en sortit pas un seul instant ; il ne reçut aucune visite hormis celle de Jack Thayer. On le bourra de calmants jusqu'à New York. C'était le début de son abandon volontaire de toute vie active. Dans l'année qui suivit, il démissionna de la White Star, acheta une grande propriété sur la côte ouest de l'Irlande et y vécut isolé jusqu'à sa mort en 1937.

Olaus Abelseth mit le pied sur le pont à 7 heures. Il était trempé et frissonnait. Quelqu'un lui mit une couverture autour des épaules et on l'emmena à la salle à manger où on lui donna du café et de l'alcool. Mme Charlotte Collyer et les autres passagers du canot n° 14 suivirent, tandis que Lowe, qui aimait que les choses fussent en ordre, restait en arrière pour ranger la voile et le mât.

Les canots arrivèrent ainsi les uns après les autres. Chaque fois qu'il en arrivait un nouveau, les rescapés déjà parvenus à bord du *Carpathia* le fouillaient des yeux du haut du pont, à la recherche de proches, de parents, d'intimes. Près des Ogden, Billy Carter cherchait, affolé, sa femme et ses enfants. Il la reconnut dans le n° 4 et lui cria :

– Où est mon fils ? Où est mon fils ?

Dans le canot, un petit garçon de dix ans enleva un grand chapeau de fille et lui cria :

– Je suis là, papa !

La légende veut que ce fût John Jacob Astor qui lui eût mis lui-même le chapeau sur la tête, en disant à ceux qui voulaient l'empêcher de monter sur le canot :

– Maintenant, c'est une fille, il peut partir.

Washington Dodge lui aussi vécut des moments d'angoisse avant de retrouver sa famille – surtout à cause d'un tour que lui joua son fils, âgé de cinq ans. Le docteur ne vit pas sa femme monter à bord, et elle non plus ne le reconnut pas parmi tous les gens qui se bousculaient sur le pont ; Washington Jr, lui, reconnut son père, mais il trouva bien plus drôle de ne rien dire. Il se tut donc et s'arrangea pour que son père ne les vît pas. Ce fut le fidèle Ray qui gâcha la farce.

Il y avait de plus en plus de monde sur le pont et le long des bastingages. Les passagers du *Carpathia* sortaient tous de leurs cabines.

Plusieurs personnes apprirent les événements d'une drôle de façon. Ainsi, M. et Mme Charles Marshall furent réveillés par leur steward qui cognait à la porte de leur cabine.

– Qu'est-ce que c'est ? demanda M. Marshall.

– Votre nièce, Mme E. D. Appleton, qui veut vous voir, lui répondit-on.

Or, les trois nièces de M. Marshall faisaient le premier voyage du *Titanic*, il le savait. Elles lui avaient même envoyé un télégramme la nuit précédente. Comment l'une d'entre elles pouvait-elle se trouver en même temps à bord du *Carpathia* ? Le steward le lui expliqua. Quelques minutes après, c'était une véritable réunion de famille. (Les autres nièces arrivèrent plus tard.) Leur fille Evelyn, elle, se glissa sur le pont pour aller voir le spectacle.

Et quel spectacle ! La banquise à perte de vue à l'ouest et au nord, les gros icebergs et les glaçons qui flottaient à la dérive comme une sorte d'avant-garde, et les canots qui convergeaient vers le *Carpathia*, complètement incongrus, ici, en plein Atlantique.

Les gens qui débarquaient des canots de sauvetage avaient, eux aussi, un drôle d'air. Mlle Sue Eva Rule remarqua une femme qui ne portait sur elle qu'une grande serviette éponge autour de la taille et une merveilleuse étole de fourrure sur les épaules. Il y avait un mélange invraisemblable de robes du soir en dentelle, de kimonos, de manteaux de fourrure, de grands châles, de pyjamas, de bottes de caoutchouc, de pantoufles de satin... A l'époque, on savait rester correct en toutes circonstances, aussi y avait-il une quantité étonnante de femmes en chapeau et d'hommes en casquette.

Mais le plus étrange de tout, c'était le silence. On n'entendait pratiquement pas un bruit – sauf, de temps en temps, un petit incident. Ainsi, Mlle Peterson vit une petite fille qui s'appelait Emily et qui pleurait, assise sur le pont, en disant :

– Oh ! maman, maman, je suis malade ! Oh ! maman !...

Dans le canot n° 3, qui venait de débarquer ses passagers, une femme assise à l'arrière et vêtue seulement d'un kimono et d'une chemise de nuit, se redressa tout d'un coup et se mit à crier en montrant du doigt une autre femme que l'on était en train de hisser sur le pont :

– Oh ! regardez cette horrible femme ! Quelle horreur ! Elle m'a marché sur le ventre ! L'horrible créature !

Dans le salon de troisième classe, une Italienne hurlait, pleurait, gémissait, tapait du poing en répétant : « *Bambini ! Bambini !* » On alla chercher un steward italien pour comprendre ce qui se passait. Il expliqua qu'elle venait de perdre ses deux enfants. On en retrouva un, mais elle leva deux doigts en l'air et recommença à hurler de plus belle. Finalement, on retrouva le deuxième – que l'on avait emmené dans l'office pour qu'il se sèche et se réchauffe.

A 8 h 15, tous les canots étaient arrivés, sauf le n° 12. Il avançait à peine, à quelques centaines de mètres de là. La brise était plus forte, et la mer s'agitait. L'embarcation tenait à peine sur l'eau avec les soixante-quinze personnes qui étaient entassées à bord. Du *Carpathia*, tous les passagers, muets d'émotion, le regardaient se rapprocher du bord.

Dans le canot, les rescapés se serraient les uns contre les autres, essayant de ne pas se faire mouiller, suppliant le ciel de pouvoir arriver jusqu'au *Carpathia*.

A 8 h 20, il restait encore deux cents mètres à couvrir. Rostron, pour les aider, fit tourner l'avant de son navire dans leur direction. Comme Lightoller essayait de passer sous le côté abrité du *Carpathia*, il y eut un brusque coup de vent. Une première vague, puis une deuxième passèrent dans le canot. Une troisième les manqua. Mais une minute plus tard ils étaient à l'abri ; ils étaient sauvés.

A 8 h 30, le n° 12 s'amarrait et commençait à débarquer ses passagers. En montant à bord, le colonel Gracie eut envie de tomber à genoux et d'embrasser le pont. Harold Bride sentit qu'on le soutenait, juste avant de s'évanouir. Jack Thayer aperçut sa mère et se précipita dans ses bras. Elle lui demanda :

– Où est papa ?

– Je ne sais pas...

Rostron, lui, se demandait où emmener ses sept cent cinq invités inattendus. Halifax était le port le plus proche, mais il y aurait de la glace en chemin ; ils en avaient assez vu. Les Açores auraient mieux convenu au *Carpathia*, mais il n'avait pas assez de linge et de provisions pour pouvoir arriver jusque-là. New York était la meilleure destination pour les rescapés, mais c'était aussi celle qui coûterait le plus cher à la Cunard. Il descendit dans la cabine de McGhee, où il trouva le chirurgien en train d'examiner son pensionnaire. Ismay était incapable de prendre la moindre décision. Ce que Rostron déciderait serait parfait. Rostron choisit donc New York.

C'est alors que l'*Olympic* entra en contact : pourquoi ne pas transférer tous les passagers du *Titanic* à son bord ? Rostron trouva que c'était une idée absolument épouvantable. Comment imposer à tous ces gens encore un autre transbordement en mer ? De plus, l'*Olympic*, était le *sistership* du *Titanic* ; sa vue serait certainement un choc terrible pour tous ces pauvres gens. Pour ne pas prendre de risques inutiles, il redescendit voir Ismay. Le président de la White Star se mit à frissonner à la simple idée de l'*Olympic*.

Ainsi c'était New York, c'était décidé. Et le plus vite possible. Le *Californian* venait d'arriver, et le capitaine Lord, mal à l'aise, regardait le pavillon du *Carpathia* qu'on mettait en berne. Rostron s'arrangea avec lui pour qu'il procède à une exploration systématique des lieux du naufrage pendant que le *Carpathia* ferait route pour New York. Puis il fit hisser à bord autant de canots de sauvetage que le *Carpathia* pouvait en loger – on en mit six sur l'avant et sept suspendus par-dessus bord dans les bossoirs ; les autres furent laissés à la dérive.

Avant de faire demi-tour, Rostron se fit un devoir de faire le tour de la scène du naufrage.

Consciencieux, il ne voulait pas laisser échapper la plus petite chance de sauver quelqu'un. Le *Californian* se donnerait aussi cette peine, mais s'il y avait encore quelqu'un à sauver, que ce fût au *Carpathia* de le faire.

Pendant qu'il parcourait ainsi l'endroit de la catastrophe, et après être allé prendre l'accord d'Ismay – d'accord par principe –, il envoya chercher le révérend père Anderson, rassembla les passagers dans le grand salon et fit dire un service à la mémoire des morts.

Tandis que tout le monde priait, le *Carpathia* passait au-dessus du *Titanic* englouti. Il ne restait que peu de chose pour témoigner de ce qui s'était passé – des morceaux de liège, quelques transats, des coussins, des ceintures de sauvetage, les embarcations abandonnées... et un cadavre.

A 8 h 50, Rostron avait la conscience en paix. Il ne pouvait plus y avoir un naufragé en vie sur la mer. Il ordonna « en avant toute » et mit le cap sur New York.

Une agitation folle s'était déjà emparée de la ville. Quand les premières nouvelles étaient arrivées à 1 h 20, personne n'avait su que penser. La dépêche de l'Associated Press était plus que laconique – juste un message de Cape Race disant qu'à 22 h 25, heure locale, le *Titanic* avait envoyé un « CQD », ajoutant qu'il avait heurté un iceberg et qu'il demandait une assistance immédiate. Puis un autre message disant que le paquebot s'enfonçait par l'avant et qu'on faisait monter les femmes dans les embarcations de sauvetage. Et puis, plus rien.

Les nouvelles étaient arrivées à temps pour les premières éditions du matin. Mais impossible de vérifier ou d'avoir des détails ; on avait juste eu le temps de choisir la façon de présenter les choses. L'histoire paraissait incroyable, et pourtant elle était incontestable. Les rédacteurs restèrent sur la réserve. Le *Herald,* par exemple, titra en grand :

LE *TITANIC* HEURTE UN ICEBERG ET APPELLE
AU SECOURS DES NAVIRES EN ROUTE.

Le *Times* fut le seul à faire preuve d'audace. Le rédacteur en chef Carr Van Anda comprit que le *Titanic* avait certainement coulé, puisqu'on n'avait plus rien reçu après les premiers messages. Les premières éditions annoncèrent que le paquebot était en train de s'enfoncer et que les canots de sauvetage étaient à la mer. La dernière édition de la matinée affirmait qu'il avait coulé.

A 8 heures, les reporters étaient à l'assaut du 9 Broadway, le bureau de la White Star à New York. Le vice-président Philip A. S. Franklin, malgré les informations dont il disposait, leur déclara que même si le *Titanic* avait heurté un iceberg, il pourrait flotter indéfiniment : « Nous avons une confiance absolue dans le *Titanic*. Nous sommes persuadés que c'est un navire qui ne peut pas couler. »

Mais en même temps qu'il faisait cette déclaration, il envoyait un télégramme affolé au capitaine Smith : « Attendons anxieusement nouvelles navire et précisions sur sort passagers. »

Au milieu de la matinée, les parents et les amis des passagers commencèrent à affluer : Mme Benjamin Guggenheim et son frère De Witt Seligman, M. W. H. Force, le père de Mme Astor, J. P. Morgan Jr et des centaines de personnes anonymes. Riches ou pauvres, tous se voyaient offrir les mêmes sourires rassurants : inutile de s'inquiéter, le *Titanic* ne peut pas couler ; de toute façon, il pourra flotter au minimum deux ou trois jours ; il y a largement assez de canots de sauvetage pour tout le monde.

191

La presse renchérit. L'*Evening Sun* titra en lettres énormes :

TOUS SAUVÉS SUR *TITANIC* APRÈS COLLISION.

L'article précisait que tous les passagers avaient été transférés à bord du *Parisien* et du *Carpathia*, et que le *Titanic* était remorqué par le *Virginian* vers Halifax.

Le monde des affaires ne s'inquiétait pas non plus. Avec les premières nouvelles, les taux de réassurance sur le chargement du *Titanic* augmentèrent de 50 %, puis de 60 %, mais ensuite, avec l'optimisme qui prévalait, ils redescendirent à 50 %, puis à 45, à 30, et finalement à 25 %.

Les actions de Marconi, elles, montaient en flèche. En deux jours, elles gagnèrent 55 points, cotèrent jusqu'à 225. C'était remarquable pour une action qui ne rapportait que 2 dollars un an auparavant. Et l'IMM – le grand consortium qui contrôlait la White Star – remontait nettement après un mauvais départ.

Et pourtant, des rumeurs commençaient à se répandre. Rien d'officiel, mais des radioamateurs qui captaient le trafic de l'Atlantique et recevaient des messages qui ne leur étaient pas destinés, et qu'ils répétaient un peu partout. Dans l'après-midi, un ami raconta à un officiel de la Cunard que le *Titanic* avait bien coulé. Un ami de Montréal télégraphia la même information à un homme d'affaires de New York. Franklin lui-même entendit dire la même chose, mais d'une source qu'il tenait pour douteuse. Il se tut.

A 18 h 15, tout s'effondra. On reçut un message de l'*Olympic* : le *Titanic* avait coulé à 2 h 20, le *Carpathia* avait pris en charge les canots de sauvetage et revenait à New York avec six cent soixante-quinze survivants. Le message avait été retardé de plusieurs heures en route ; personne n'a jamais su pourquoi, ni pu confirmer l'allégation du *World's*, selon lequel ce seraient les spéculateurs de Wall Street qui auraient été responsables de ce retard.

19 heures sonnaient. Franklin essayait encore de trouver le courage d'annoncer la nouvelle au public. Un reporter qui avait du nez sentit le vent et entra carrément dans son bureau. D'autres le suivirent.

– Messieurs, dit d'une voix forte M. Franklin, j'ai le regret de vous annoncer que le *Titanic* a coulé à 2 h 20 ce matin.

Ce fut d'abord tout ce qu'il accepta de reconnaître, mais, petit à petit, les journalistes réussirent à lui en faire dire davantage. A 20 heures, il déclara que « le message de l'*Olympic* n'avait pas indiqué si tout le monde avait été sauvé ». A 20 h 15 : « Il y a probablement eu quelques pertes en vies humaines. » A 20 h 45 : « Nous craignons que ces pertes ne soient importantes. » A 21 heures, il n'avait plus la force de se taire et avoua que c'était « un horrible désastre [...] On pourra remplacer le navire, mais jamais les vies humaines. »

A 22 h 30, Vincent Astor arriva au 9 Broadway et s'enferma avec Franklin dans son bureau. Il en ressortit un peu plus tard, en larmes. Un reporter qui le vit téléphona à M. W. H. Force, le père de Mme John Jacob Astor.

– Oh ! mon Dieu ! lui dit le vieux monsieur, ne me dites pas ça ! D'où le tenez-vous ? Ce n'est pas vrai ! Ce ne peut pas être vrai !

Impossible d'entrer en contact avec Mme Alfred Hess, la fille des Straus. Plus tôt dans l'après-midi, elle avait pris un train affrété spécialement par la White Star pour aller à la rencontre du *Titanic* à

193

Halifax. A 20 heures, le train traversait la campagne du Maine ; Mme Hess était à table, bavardant avec des reporters. Elle était la seule femme du train, ce qui est assez amusant. Elle dégustait un pamplemousse quand le train ralentit, s'arrêta et repartit dans l'autre sens. Il ne s'arrêta pas avant Boston, où on lui apprit qu'il y avait contre-ordre, puisque les passagers du *Titanic* se rendaient directement à New York. Elle se retira dans son compartiment et, le matin suivant, son frère l'accueillait à la gare en lui disant :

– Ça a l'air assez grave.

On avait la première liste des rescapés, et les gens recommençaient à assiéger les bureaux de la White Star. Mme Frank Farquharson et Mme W. H. Marvin s'y rendirent ensemble pour avoir des nouvelles de leurs enfants qui revenaient de leur lune de miel. La mère de la mariée eut un petit cri de joie en voyant le nom « Mme Daniel Marvin » sur la liste. Elle eut de la peine à prendre un air grave en ne voyant pas de « M. Marvin » à côté.

Mme Benjamin Guggenheim se cramponnait à l'espoir qu'il y avait peut-être encore un canot de sauvetage qui n'avait pas été recueilli. « Peut-être est-il en train de dériver sur la mer », disait-elle en sanglotant.

Et pourquoi pas ? On disposait de si peu d'informations... Impossible de tirer quoi que ce fût du *Carpathia*. Rostron réservait sa radio uniquement aux messages officiels et aux télégrammes des survivants. Les journaux durent se débrouiller comme ils purent. L'*Evening World* parla du brouillard, de la sirène de brume du *Titanic* et d'un choc épouvantable. Le *Herald* raconta comment le navire fonçant dans la nuit avait été pratiquement coupé en deux et s'était presque retrouvé la quille en l'air sous la violence du choc.

Les journaux qui se trouvaient à court d'imagination s'en prenaient au *Carpathia*. L'*Evening Mail* brandissait ses foudres :

SILENCE INSUPPORTABLE DU *CARPATHIA*.

Le *World* rageait :

LE *CARPATHIA* REFUSE D'ENVOYER
LA LISTE DES DISPARUS.

Mardi passa. Mercredi. Puis jeudi. Et toujours pas de nouvelles. Les hebdomadaires étaient maintenant dans la course. Le *Harper's Weekly* évoqua les passagers illustres qui se trouvaient à bord du *Titanic*, fit tout un article sur Henry Sleeper Harper, un membre de la famille à qui appartenait le journal. Il parla du brouillard, d'un choc terrible, mais pour remarquer ensuite assez piteusement : « Quant à ce qui est arrivé réellement, on en est encore réduit aux conjectures. » Mais le journal ajoutait quand même que l'on avait observé la règle des « femmes et des enfants d'abord », « comme c'est depuis longtemps l'habitude chez les gens civilisés qui voyagent aux périls de la mer ».

Dans le numéro suivant, une fois que Henry Sleeper Harper se fut produit avec son guide égyptien et son pékinois Sun Yat-sen, le *Harper*, nullement gêné, ne recula devant rien et publia son interview interminable et exclusive.

Jeudi soir, enfin, c'était fini.

Quand le *Carpathia* passa devant la statue de la Liberté, dix mille personnes le regardaient depuis Battery Park. Pendant qu'il se dirigeait vers le poste 54, trente mille autres personnes étaient

195

massées le long des quais, sous la pluie, pour le voir. Jusqu'à la fin, Rostron refusa de rencontrer les journalistes et d'en laisser monter un seul à bord. Le *Carpathia* remonta le fleuve avec un essaim de vedettes tout autour de lui, remplies de journalistes qui hurlaient des questions dans des haut-parleurs.

A 8 h 37, il atteignait son poste, mais dut commencer par mettre à l'eau les canots de sauvetage du *Titanic,* qui étaient suspendus à l'extérieur. On les remorqua jusqu'au poste de la White Star où, pendant la nuit, des amateurs de souvenirs les dépouillèrent de tout ce qu'ils purent emporter. (Dès le lendemain matin, on mit des hommes au travail pour en effacer le nom *Titanic.*)

A 9 h 35, le *Carpathia* était amarré, on apportait la passerelle, et les premiers rescapés mettaient le pied sur la terre ferme.

L'arrivée du *Carpathia* dissipa les derniers doutes sur l'exactitude de la liste des rescapés, mais ne laissait rien deviner de ce qui s'était passé. Et les inventions des rescapés ne firent que s'ajouter à celles des gens qui les avaient attendus à terre. Pour beaucoup, ce retour à New York était un véritable calvaire ; ils étaient incapables de contrôler leurs témoignages. D'autres se laissèrent emporter par leur surexcitation. Les plus bavards enjolivèrent. Quant aux moins bavards, les reporters se chargèrent de l'être pour eux.

Les journalistes écrivirent des choses inouïes : qu'un passager de deuxième classe, Emilio Portaluppi, était resté à cheval sur un morceau de glace pendant quatre heures ; que Mlle Marie Young avait vu l'iceberg une heure avant la collision ; que les matelots Jack Williams et William French assistèrent à l'exécution de six personnes abattues comme des chiens ; que le banquier de Philadelphie Robert W. Daniel fit office d'opérateur radio sur le *Carpathia* pendant tout le voyage du retour ; etc.

C'était absurde, mais les esprits étaient trop échauffés pour s'en apercevoir.

Le 19 avril, le *Sun* de New York faisait dire au passager de première classe George Brayton :

« Il faisait un clair de lune resplendissant et beaucoup d'entre nous faisaient un tour sur le pont pour profiter de l'air frais. Le capitaine Smith était sur la passerelle quand arriva le premier cri de la vigie avertissant qu'il y avait un iceberg juste devant nous. Il m'a paru haut de 100 mètres environ. Il se trouvait à 200 mètres, juste devant nous. Le capitaine Smith cria des ordres. [...] Ceux qui étaient en train de se promener coururent à l'avant. Nous comprîmes qu'il était impossible de l'éviter et nous précipitâmes vers l'arrière. Puis ce fut la collision ; tout le monde fut frappé de terreur. [...] L'accident eut lieu vers 22 h 30. [...] Il devait être à peu près minuit, je pense, lorsque la première chaudière explosa. C'est alors, je crois, que le capitaine Smith a commencé à être inquiet. [...] »

L'interview du matelot Jonas Briggs, du *Carpathia*, révéla au public l'histoire de Rigel, un magnifique terre-neuve tout noir qui sauta du pont du *Titanic* au moment où le navire s'engloutissait sous les flots, puis escorta un bateau de sauvetage jusqu'au *Carpathia*, annonçant son arrivée au capitaine Rostron par ses joyeux aboiements.

Nombre de récits sont des aveux de mauvaise conscience, à tort ou à raison. Ainsi, la vigie Lee – on aurait dit qu'un siècle s'était écoulé depuis que son camarade Fleet avait vu l'iceberg – évoqua quelque chose de flou sur la mer, et raconta que Fleet lui avait

197

dit : « Eh bien ! si on arrive de l'autre côté, on aura de la chance ! » Ce dont Fleet, lui, ne s'est jamais souvenu.

Dans une interview, un passager de première classe donna cette explication très précise de sa présence dans le canot n° 7, le premier à quitter le *Titanic* :

« Sur un point, les dames étaient absolument intransigeantes. Elles refusaient de monter dans les canots avant que les hommes ne s'y trouvassent déjà. Elles avaient peur de courir la mer dans ces frêles embarcations. Et il fallait un certain courage, je dois le dire, pour monter dans ces petites coques de noix qui se balançaient en grinçant au-dessus de la mer. Peu d'hommes acceptèrent d'y embarquer. Un officier me poussa par-derrière en criant : "Vous, là, vous êtes assez grand pour tenir une rame ! Sautez dans ce canot, sinon nous n'arriverons jamais à faire monter les femmes !" Je fus bien obligé d'obéir, et pourtant j'avoue que le paquebot m'avait l'air bien plus sûr que toutes les embarcations de sauvetage du monde. »

Petit à petit, on parvint malgré tout à se faire une image plus exacte de ce qui s'était passé, quoique beaucoup de ces légendes qui se sont formées dans les premiers jours soient encore répandues aujourd'hui – la dame qui refusait d'abandonner son grand chien danois, l'orchestre qui jouait *Plus près de toi, mon Dieu*, le suicide du capitaine Smith et du premier officier Murdoch, Mme Brown commandant le canot n° 6 revolver en main, etc.

Mais il n'y a pas de grands événements sans légendes ; si elles contribuent à perpétuer le souvenir d'actes de bravoure et de désintéressement, pourquoi les condamner ?

Ces jours-là, néanmoins, il n'y avait nul besoin de légendes pour impressionner l'opinion publique. La tragédie se suffisait à elle-même et tout le monde en était horrifié. Partout les drapeaux étaient en berne ; Macy's, et les salles de spectacle Harris étaient fermés ; la French Line annulait une réception à bord de son nouveau paquebot *France* ; à Southampton, dont beaucoup d'hommes de l'équipage étaient originaires, les pertes étaient épouvantables – vingt familles frappées dans la même rue ; Montréal décommanda une revue militaire ; le roi George et le président Taft échangeaient des condoléances ; J. S. Bache & C° annonçaient que leur banquet annuel n'aurait pas lieu ; J. P. Morgan repoussait l'inauguration d'un nouvel établissement thermal qu'il venait de faire construire à Aix-les-Bains.

Le *Social Register* lui-même fut ébranlé. A cette époque, n'importe qui ne se déplaçait pas sur n'importe quel navire. Le paquebot qu'on empruntait était un signe important du rang social qu'on occupait, et le *Social Register* en prenait scrupuleusement note. La tragédie posait un problème inattendu. Reconnaître que certaines familles avaient fait la traversée sur le *Titanic* leur conférait le rang auquel elles avaient droit, ce qui était excessif.

Dire que d'autres étaient arrivées sur le pauvre *Carpathia* était exact, mais donnait une mauvaise impression. Alors ? Pour les morts, on éluda la difficulté en se contentant d'écrire après leurs noms la simple phrase : « Mort en mer le 15 avril 1912. » Pour les survivants, on inscrivit : « Arrivé à bord du *Titan-Carpath*, le 18 avril 1912 » – le tiret représentant sobrement la plus grande catastrophe maritime de l'histoire.

Ce qui frappa le plus le public, ce fut moins la tragédie en elle-même, ou son inutilité, que l'espèce de fatalité qui semblait se manifester dans tous les détails. Si, ce dimanche-là, le *Titanic* avait tenu compte d'un seul des six messages qu'il avait reçus, l'avertissant de la présence de glaces flottantes ; si les glaces n'avaient pas dérivé tellement au sud ; si la mer avait été mauvaise ; s'il y avait eu du clair de lune ; si l'iceberg avait été aperçu quinze secondes plus tôt ou quinze secondes plus tard ; si le paquebot l'avait heurté sous un autre angle ; s'il y avait eu des cloisons étanches un pont plus haut ; s'il y avait eu assez de canots de sauvetage à bord ; si le *Californian* était venu à son secours... Si seulement un seul de tous ces « si » avait été réalisé, on n'aurait probablement déploré aucune mort. Mais tous les « si » avaient joué contre le *Titanic*.

Personne ne pensait encore à tout cela dans le matin clair du 15 avril, tandis que le *Carpathia* mettait le cap sur New York. Tous les rescapés étaient effondrés dans des transats, ou bien buvaient leur café dans une salle à manger, ou encore se demandaient quels vêtements porter pour leur arrivée...

Les passagers du *Carpathia* les aidèrent de leur mieux. On leur prêta des vêtements, des objets de toilette, on tailla pour les enfants des langes dans des couvertures de voyage. Un acheteur de Macy's, en route pour le Portugal, servit d'ange gardien aux trois acheteurs de chez Gimbels.

Mme Louis Ogden porta des tasses de café à deux femmes assises toutes seules dans un coin, mais celles-ci lui répondirent :

– Allez-vous-en ! Nous venons de voir nos maris se noyer sous nos yeux...

D'autres rescapés reprenaient déjà prise avec la réalité. Lawrence Beesley, par exemple, envoya un télégramme chez lui pour annoncer qu'il était sain et sauf.

Pour d'autres, le « réveil » fut plus long – ainsi le colonel Gracie, allongé sur un divan de la salle à manger, se calfeutra sous une pile de couvertures pendant que ses vêtements séchaient ; Bruce Ismay tremblait de tous ses membres dans la cabine de McGhee, qui venait de lui faire une piqûre de calmants ; Harold Bride se réveillait, étendu sur un lit dans une cabine de luxe, une femme lui caressant les cheveux.

Jack Thayer se trouvait dans une cabine tout près de là. On lui avait prêté un pyjama et un lit. Il s'apprêtait à se coucher, exactement comme il l'avait fait dix heures plus tôt. Il se glissa entre les draps frais ; le brandy qu'il venait de boire était le premier verre d'alcool de son existence. Décidément, il devenait « un grand » !

Bien en dessous de lui, les machines du *Carpathia* ronronnaient, un bruit régulier, calmant. Bien au-dessus de lui, le vent sifflait dans le gréement. Devant lui, New York et, plus loin, Philadelphie, la maison. Derrière lui, quelques débris du *Titanic* qui sautaient avec les vagues et brillaient dans le soleil. Tout lui était égal, maintenant. Le brandy venait de faire son effet. Il dormait à poings fermés.

# 11

## Quelques faits

« Jamais aucun navire ne le vaudra... », répétait bien après la catastrophe le boulanger Charles Burgess. En quarante-trois ans passés sur l'Atlantique, il avait connu tous les plus grands *liners* – l'*Olympic*, le *Majestic*, le *Mauretania*, etc. Quand je l'ai interrogé, il travaillait dans la cuisine du *Queen Elizabeth* et était sans doute le dernier membre de l'équipage du *Titanic* encore en service actif.

« Comme l'*Olympic*, oui, mais tellement plus soigné ! disait-il pour évoquer le *Titanic*. La salle à manger, par exemple : sur l'*Olympic*, il n'y avait pas de tapis ; sur le *Titanic*, on enfonçait dedans jusqu'aux genoux ! Et les meubles – si lourds qu'on pouvait à peine les remuer ! Et les boiseries... On pourra toujours en construire de plus grands et de plus rapides, mais jamais d'aussi beaux. Le *Titanic* était un navire magnifique, merveilleux. »

Les réflexions de Burgess sont caractéristiques. Le *Titanic* a jeté un charme sur tous ceux qui ont collaboré à sa construction ou ont navigué dessus. Avec les années, le souvenir l'a encore embelli. Beaucoup de survivants ont soutenu qu'il était deux fois plus grand que l'*Olympic* – alors que les deux *superliners* étaient exactement semblables, hormis une différence quasi négligeable de 1004 tonnes en faveur du *Titanic*. Certains passagers se souvenaient surtout du golf, d'autres des courts de tennis, d'autres encore de l'étable avec ses vaches. De mille détails... La White Star avait toujours eu un penchant pour le luxe. Avec le *Titanic*, elle s'était surpassée.

En lui-même, le navire était assez étonnant : 46 328 tonnes, 66 000 tonnes de déplacement, 269 mètres de long, 28 mètres de large, 18,5 mètres de la ligne de flottaison au pont des embarcations, 53 mètres de la quille au sommet de ses quatre cheminées géantes. La hauteur d'un immeuble de onze étages, la longueur de quatre pâtés de maisons.

Le *Titanic* avait trois hélices. Deux moteurs de quatre cylindres actionnaient chacun une hélice latérale et une turbine commandant l'hélice centrale, dispositif qui lui conférait en tout une puissance officielle de 50 000 CV, mais il pouvait en fait en développer facilement 55 000. A pleine vitesse, il était capable de filer de 24 à 25 nœuds.

Sa caractéristique la plus remarquable était sans doute son cloisonnement étanche. Doté d'un double fond, le *Titanic* était divisé en seize compartiments étanches limités par quinze cloisons qui couraient sur toute sa largeur. Mais – personne ne sait au juste pourquoi – ces cloisons ne montaient pas très haut. Les deux premières et les cinq dernières allaient jusqu'au pont D, et les huit du centre jusqu'au pont E. Le paquebot pouvait flotter avec deux compartiments noyés ; personne n'imaginant d'accident plus grave que celui qui pourrait se produire à la jonction de deux compartiments, on le disait donc insubmersible.

Le *Titanic* fut lancé à Belfast, aux chantiers maritimes Harland & Wolff, le 31 mai 1911. Il fut achevé pendant les dix mois suivants. Les premiers essais eurent lieu le 1er avril 1912. Le 3 avril 1912, il arrivait à Southampton. Une semaine plus tard, il partait pour New York.

Tels sont les faits. Mais beaucoup de questions demeurent sans réponse. Probablement bien plus que dans n'importe quel autre naufrage.

*Combien de vies humaines ont-elles été perdues ?* Certaines sources avancent le chiffre de 1 635. L'enquête américaine évoquait 1 517 disparus ; la Chambre de commerce britannique 1 503 ; l'enquête britannique 1 490. Le chiffre donné par la Chambre de commerce britannique est le plus vraisemblable, à condition d'en soustraire le chauffeur J. Coffy, qui déserta à Queenstown.

*Dans quel ordre et de quelle façon les naufragés ont-ils quitté le paquebot ?* Presque toutes les femmes à qui l'on a posé la question ont répondu sans hésitation : « Dans le dernier canot. » En étudiant de près les dépositions des témoins aux enquêtes britannique et américaine, il est possible de se faire une idée plus juste des événements, bien que tout soit loin d'être clair. Lors de l'enquête américaine, il fut demandé à chaque témoin combien de personnes étaient à bord de son embarcation. Ensuite, on additionna les estimations minimales. Voici les résultats de ces estimations.

**Nombre de personnes dans les canots**

|  | Selon les estimations des survivants | D'après le nombre des survivants |
|---|---|---|
| Équipage : | 107 | 139 |
| Passagers hommes : | 43 | 119 |
| Femmes et enfants : | 704 | 393 |
| Total : | 854 | 651 |

Il y avait donc beaucoup plus d'hommes et moins de femmes que les survivants les plus raisonnables ne l'estimaient, sans parler du fait que les canots contenaient bien moins de passagers qu'ils ne le pensaient.

*A quel moment exact se sont produits les différents événements ?* Tout le monde est d'accord pour estimer que le *Titanic* a heurté l'iceberg à 23 h 40 et qu'il a coulé à 2 h 20. En revanche, presque personne ne s'entend sur ce qui s'est passé entre ces deux moments. Les heures données dans ce livre sont des évaluations moyennes d'après les témoignages des personnes qui ont vécu ces événements, mais elles sont loin d'être sûres. Passagers et membres d'équipage étaient soumis à des émotions trop fortes pour se faire une juste idée du temps qui passe. Mme Louis Ogden, passagère du *Carpathia,* en donne un bon exemple. Tandis qu'elle aidait les passagers du *Titanic* à s'organiser, elle demanda l'heure à son mari. Sa montre était arrêtée, mais, à son avis, il devait être autour de 16 h 30. En réalité, il n'était que… 9 h 30. Louis Ogden et son épouse étaient trop absorbés pour faire attention à l'heure.

*Qu'ont dit exactement les différents témoins ?* Les propos rapportés dans ce livre ne sont pas imaginaires. Les personnes citées se sont souvenu les avoir prononcés ou les avoir entendus. Pourtant, une certaine marge d'erreur subsiste. Plusieurs témoins ont rapporté la même conversation avec des variantes. Il existe au moins quatre versions différentes des paroles qu'échangèrent le capitaine Rostron et le quatrième officier Boxhall au moment où le canot n° 2 s'approchait du *Carpathia*. L'idée reste la même, mais les mots diffèrent.

*Quels airs l'orchestre a-t-il joués ?* Selon la légende, l'orchestre aurait été englouti alors qu'il jouait *Plus près de toi, mon Dieu*. Beaucoup de rescapés l'ont affirmé, et il n'y a aucune raison de mettre en doute leur sincérité. D'autres ont soutenu que, jusqu'à la fin de la tragédie, l'orchestre ne joua rien d'autre que du ragtime. Un autre témoin s'est formellement rappelé que, au dernier instant, l'orchestre ne jouait rien du tout. De toutes ces affirmations contradictoires, la version du deuxième opérateur radio, Harold Bride, paraît la plus vraisemblable. Bride était un excellent observateur, toujours fiable en ce qui concerne les détails, et il se souvenait très clairement qu'au moment où le pont des embarcations avait piqué du nez, l'orchestre jouait l'hymne anglican *Autumn*.

*Est-il vrai qu'un homme se soit déguisé en femme pour pouvoir embarquer sur un canot de sauvetage ?* A l'époque où je rassemblais des documents en vue de rédiger ce livre, on me cita nommément quatre passagers de première classe qui se seraient sauvés déguisés en femme – sans l'ombre d'une preuve. En examinant les choses de plus près, je me suis aperçu que l'un d'entre eux fut probablement la victime d'un journaliste auquel il avait refusé un entretien, et qui aurait inventé cette mise en scène en guise de revanche. Un autre, homme politique local, était en butte à son opposition qui essayait de le traîner dans la boue pour le discréditer. Un troisième se vit reprocher par de bonnes âmes d'avoir quitté le *Titanic* – tout à fait par hasard – avant sa femme. Ce que chacun réclamait, c'était une victime ; une victime de qualité. Aussi, personne ne prêta la moindre attention à Daniel Buckley, ce passager de troisième classe qui reconnut lui-même qu'il portait un châle sur la tête au moment de l'embarquement. Buckley n'était qu'un pauvre Irlandais mort de frayeur : il n'intéressait personne.

On ne connaîtra peut-être jamais la réponse exacte à toutes ces questions. Le mieux est de peser le pour et le contre, de tenir compte de tous les détails et de tenter de parvenir à une approximation honnête. Il faudrait être animé d'une singulière présomption pour oser se croire le juge et le dépositaire définitif de tout ce qui se passa pendant la nuit qui vit la fin du *Titanic*.

# Remerciements

L'objet de ce livre est, en somme, la dernière nuit d'une petite ville. La taille du *Titanic*, le nombre de passagers qui se trouvaient à son bord justifient la comparaison. Rendre compte de tout ce qui arriva dans la nuit du 14 avril 1912 est impossible. Pour parvenir à composer ce tableau fragmentaire, des centaines de témoignages ont été nécessaires.

Au cours de mon enquête, j'ai retrouvé soixante-trois survivants. La plupart ont accepté de m'aider dans ma tâche. Parmi eux, des pauvres et des riches, des passagers et des hommes d'équipage. Tous avaient deux qualités en commun. D'abord, ils donnaient une merveilleuse impression d'équilibre. Comme si le fait d'avoir traversé cette épreuve leur avait facilité l'approche de tous les problèmes de l'existence. Leur vieillesse était empreinte d'une sorte d'élégance et de paix tranquilles. Ensuite, tous étaient désintéressés. Après avoir été témoins des plus grands dévouements, des plus grands renoncements, ils semblaient avoir passé le reste de leur vie à chasser en eux toute trace d'égoïsme.

Ils ne m'ont jamais fait sentir que je leur en demandais trop. Beaucoup m'ont aidé au-delà de ce que je leur demandais.

Mme Noël MacFie (à l'époque comtesse de Rothes) m'a raconté comment, inexplicablement, au cours d'un dîner avec des amis un an après la catastrophe, elle s'était soudain sentie envahie par cette impression de froid et d'horreur qui était restée associée, dans sa mémoire, au souvenir du *Titanic*. Au bout d'un moment, elle se rendit compte que l'orchestre jouait *Les Contes d'Hoffmann* d'Offenbach – le dernier morceau que l'on eût joué à bord, le dimanche soir, avant la catastrophe.

Mme George Darby, alors Elizabeth Nye, me fit part d'un détail touchant. Ce même dimanche, en fin d'après-midi, alors qu'il faisait un froid piquant, quelques passagers de seconde classe s'étaient réunis dans leur salle à manger pour chanter ensemble l'hymne *Pour ceux qui sont en péril sur la mer*.

Katherine Manning – alors Kathy Gilnagh – me parla de la gaieté qui régnait dans la troisième classe ce même dimanche soir. Les jeunes gens avaient organisé une petite soirée. Un rat était venu interrompre les danses. Les garçons lui avaient donné la chasse ; les jeunes filles criaient d'excitation. Les yeux de Katherine Manning brillaient encore au souvenir des rires et des cornemuses. Quelle merveille d'être une jeune fille en route vers l'Amérique, sur un si grand bateau !

Les souvenirs de tous les rescapés que j'ai rencontrés étaient étonnamment précis. Mme G. J. Mecherle (Mme Albert Caldwell à l'époque) me parla de l'agitation qui régnait au départ de Southampton. Victorine Perkins (à l'époque Victorine Chandowson) voyait encore les seize malles des Ryerson. Spencer Silverthorne se souvenait du dîner qu'il avait pris avec des amis ce dimanche soir-là. Marguerite Schwarzenbach (alors Marguerite Frolicher) avait pris son repas dans l'appartement de ses parents – elle avait eu jusque-là le mal de mer, et c'était la première fois depuis le départ qu'elle prenait part à un vrai repas.

Les souvenirs des membres de l'équipage étaient aussi vifs : le chauffeur George Kemish évoqua l'esprit de camaraderie qui régnait aux chaudières. La masseuse Maud Slocombe me raconta tout le mal qu'elle se donnait pour garder les bains turcs dans un état impeccable.

Les récits de tous ces témoins m'ont aidé à me représenter l'atmosphère qui régnait à bord du *Titanic*. J'ai infiniment apprécié l'aide qu'ils m'ont apportée.

Je suis reconnaissant à tous les survivants qui firent l'effort d'essayer de retrouver ce qu'ils avaient ressenti à tel ou tel moment de la tragédie. Ainsi Jack Ryerson, qui tenta de se souvenir de ce qu'il pensait pendant que son père parlementait pour qu'on laissât monter son fils dans le canot n° 4. S'était-il rendu compte que sa vie était l'enjeu de la discussion ? Non, il n'y pensait pas. C'était un vrai petit garçon de treize ans. Quant à Washington Dodge Jr, qui avait cinq ans à l'époque, ce qui l'avait le plus frappé, c'était le grondement de la vapeur s'échappant du haut des cheminées.

Les passagers de troisième classe Anna Kincaid (alors Sjoblom), Celiney Decker (alors Yasbeck) et Gus Cohen m'ont permis de reconstituer ce qui se passait et ce qui se disait en troisième classe – cette troisième classe qui fait figure de sacrifiée dans tous les récits du drame.

L'aide que m'ont apportée les membres de l'équipage va bien plus loin que la simple relation des faits. L'émotion qui emplissait la voix de Charles

Burgess chaque fois qu'il me parla du *Titanic* était révélatrice de la fierté intense de tous ceux qui avaient navigué à son bord. L'amabilité des stewards James Witter, F. Dent Ray et Leo James Hyland reflétait le service impeccable dont bénéficiaient les passagers. Et la conscience, l'honnêteté d'hommes tels le quartier-maître George Thomas Rowe, le matelot A. Pugh, le boulanger Walter Belford et le graisseur Walter Hurst confirment l'expression du chauffeur Kemish : l'équipage du paquebot était « la fine fleur de Southampton ».

A tous, et à bien d'autres survivants encore – Mme Jacques Futrelle, Mme A. C. Williams, Harry Giles, Herbert J. Pitman –, je demeure reconnaissant pour tout ce qu'ils m'ont raconté.

Les parents de ceux qui se trouvaient à bord du *Titanic* n'ont pas ménagé leur peine, eux non plus. La lettre que m'a envoyée l'un des descendants d'un rescapé montre combien cette collaboration fut étroite. Elle a été écrite au naufragé lui-même, après l'accident. Le simple fait de m'offrir ce document témoignait d'un courage et d'une honnêteté qui, à eux seuls, font tomber l'accusation qu'il contient :

> *Cher...*
> *J'ai devant moi un témoignage établissant que vous avez essayé d'entrer de force dans un bateau de sauvetage [...] et qu'après que le major Butt vous en eut empêché, vous avez disparu dans la foule pour réapparaître quelques instants plus tard, venant de votre appartement, et habillé de vêtements de femme, des vêtements qu'on a vu votre épouse porter au cours du voyage.*
> *Je ne peux pas comprendre comment vous pouvez marcher la tête haute et vous donner à vous-même le nom d'homme, alors que vous savez*

*que vous devez à un mensonge chaque battement*
*de votre cœur. Si votre conscience vous tracasse*
*après avoir lu cette lettre, vous feriez mieux de*
*franchir le pas : « La confession est le meilleur*
*remède de l'âme », dit un proverbe.*
  *Sincèrement vôtre.*

Les familiers des survivants m'ont communiqué des
documents et m'ont fait également part de leurs souvenirs. La fille du capitaine Smith, Mme R. Cooke, m'a
parlé de son père. Sylvia Lightoller (qui montra par la
suite une conduite exemplaire à Dunkerque, en 1940)
a également tenu à témoigner. Mme Alfred Hess m'a
permis d'avoir accès aux papiers de famille de Mme
Isidor Straus. Cynthia Fletcher m'a communiqué la
copie d'une lettre écrite par son père, Hugh Woolner,
à bord du *Carpathia*. Fred G. Crosby et son fils John
m'ont aidé à me documenter sur le capitaine Edward
Giffod Crosby. Mme Victor I. Minahan m'a communiqué maints détails sur le docteur et Mme William
Minahan, ainsi que sur leur fille Daisy.
  J'ai aussi fait largement appel aux documents écrits,
notamment aux comptes rendus officiels de l'enquête
du Sénat américain et de la cour d'enquête britannique,
d'un intérêt capital ; aux souvenirs de Jack Thayer,
publiés hors commerce, d'une franchise remarquable ;
au discours, publié lui aussi hors commerce, du docteur Washington Dodge au Commonwealth Club de
San Francisco ; au livre de Lawrence Beesley *La Perte
du SS Titanic* (Houghton Mifflin, 1912), devenu un
classique. Celui d'Archibald Gracie, *La Vérité sur le
Titanic* (Mitchell Kennerley, 1913), est irremplaçable :
on y apprend par exemple qui monta dans quel canot
– le colonel Gracie s'y montre un chercheur infatigable. *Le Titanic et autres navires* (Ivor Nicholson &

Watson, 1935), du commandant Lightoller, donne une image exacte de cet homme aussi spirituel que courageux. Le livre de Shan Bullock, *Un héros du Titanic : Thomas Andrews, constructeur de navires* (Norman Remington, 1913), retrace avec passion et justice les dernières heures de cet homme extraordinaire.

De bons comptes rendus furent publiés par certains survivants dans des revues et des journaux à la date anniversaire du drame. Il convient de mentionner le récit de Jack Thayer, paru dans l'*Evening Bulletin* de Philadelphie ; l'interview du chauffeur Louis Michelsen parue dans *La Gazette* de Cedar Rapids le 15 mai 1955 ; et le récit passionnant de Mme René Harris, recueilli dans le numéro du 23 avril 1932 de la revue *Liberty*.

La presse de l'époque est moins satisfaisante. Si le *New York Times* fit du beau travail, tous les autres journaux new-yorkais racontèrent toutes sortes d'histoires fantaisistes. Les comptes rendus des journaux de province, en particulier ceux des villes d'où étaient originaires certains passagers de marque, sont meilleurs : les journaux du Milwaukee sur les Crosby et les Minahan, ceux de San Francisco sur les Dodge, *La Gazette* de Cedar Rapids sur les Douglas, etc. Le *Times* de Londres fut aussi consciencieux qu'ennuyeux. Plus intéressants furent les journaux de Belfast, où le navire avait été construit, et surtout ceux de Southampton, d'où provenait une bonne partie de l'équipage. Ils écrivaient pour un public qui n'aurait pas supporté qu'on lui mentît.

Les magazines à grand tirage de l'époque – *Harper's, Sphere, Illustrated London News* – ne firent que reprendre les articles des journaux. On y trouve tout de même quelques éléments originaux, tel le récit de Henry Sleeper Harper dans le numéro du

27 avril 1912 du *Harper's*, ou celui, excellent, de Charlotte Collyer dans le *Semi-Monthly Magazine* du 25 mai 1912.

Les publications techniques apportent une intéressante documentation, notamment, en 1911, le numéro spécial de la revue britannique *Shipbuilder*, qui décrit en détail la construction du *Titanic*. L'*Engineering* du 26 mai 1911 et le *Scientific American* du 1er juillet 1911 reprirent la même documentation.

Les autres acteurs du drame, c'est-à-dire les passagers et les hommes d'équipage du *Carpathia*, m'accordèrent leur aide avec la même générosité que ceux qui se trouvaient sur le *Titanic*. Sans Robert H. Vaughan, je n'aurais jamais pu reconstituer la course folle à travers la nuit. R. Purvis m'a confié les noms des officiers du *Carpathia*. Mme Louis Ogden m'a raconté mille anecdotes inappréciables, d'autant plus qu'elle était l'une des premières personnes présentes sur le pont. Mme Diego Suarez (alors Evelyn Marshall) brossa pour moi un tableau remarquablement vivant de l'arrivée des embarcations de sauvetage.

Au sujet du *Carpathia*, peu de pages ont été écrites. Il me faut ici mentionner l'ouvrage du capitaine, sir Arthur H. Rostron, *Retour à terre* (Macmillan, 1931). Son témoignage devant la commission d'enquête américaine, ainsi que celui de l'opérateur radio Cottam, sont également précieux.

D'autres personnes encore, qui n'étaient présentes ni sur le *Titanic* ni sur le *Carpathia*, m'ont considérablement aidé, tel le capitaine Charles Victor Groves, qui a servi comme troisième officier sur le *Californian*, ou Charles Dienz qui, à l'époque, était maître d'hôtel du Ritz Carlton de l'*Amerika* et qui m'a expliqué en détail comment fonctionnaient les restaurants A La Carte sur les grands paquebots – enseignements d'autant plus précieux qu'un seul membre du personnel du *Titanic* fut sauvé. Harland & Wolff me procurèrent d'excellentes photographies des aménagements intérieurs du navire, Lloyd's le dernier menu du *Titanic,* et la compagnie Marconi tous les renseignements dont j'avais besoin concernant les installations radio de l'époque. Helen Hernandez, de la 20th Century Fox, m'a également été d'un secours inappréciable.

Enfin, je dois remercier des personnes qui me sont beaucoup plus proches : Ralph Withney, qui m'a aidé à orienter mes recherches ; Harold Daw, qui m'a secondé tout au long de mon entreprise ; Virginia Martin, qui a déchiffré et retranscrit des pages et des pages de documents manuscrits ; et enfin, ma mère, qui s'est chargée de toutes les vérifications et contre-vérifications. Que tous trouvent ici l'expression de ma gratitude.

# Postface

## Le *Titanic* entre légende et réalité

Rien de tel, pour toucher la réalité de la catastrophe du 14 avril 1912, que de se pencher sur le déroulement des campagnes d'exploration de l'épave du *Titanic* au cours des années 80.

1er septembre 1985 : une caméra sous-marine reliée au *Knorr*, navire de l'armée américaine, scrute les fonds marins du côté du 41° 44' nord – 49° 55' ouest. Depuis deux ans, deux équipes travaillent de concert pour tenter de localiser le *Titanic*, qui repose par 4 000 mètres de fond. L'une est française – à sa tête, Jean-Louis Michel, de l'Institut français de recherche pour l'exploitation de la mer (Ifremer). L'autre est américaine et dirigée par Robert Ballard, du Centre océanographique de Woods Hole, dans le Massachusetts. Elles disposent du matériel le plus performant jamais mis au point pour explorer le fond des océans : deux robots remorqués à 3 600 mètres de profondeur, porteurs de sonars et de caméras vidéo haute définition dont les images s'inscrivent en permanence sur les écrans de la salle de contrôle du *Knorr*. Le système permet de disposer en temps réel d'une image quasi parfaite des fonds marins. La campagne a débuté en juin et doit se poursuivre jusqu'à la fin de l'été. Mais juillet et août n'ont apporté que des déceptions. Le doute commence à gagner l'esprit des Américains comme des Français. Et si la position communiquée par l'officier de navigation Boxhall dans la nuit du 14 avril 1912 était erronée ? Et si le *Titanic* avait sombré des milles plus à l'est ou plus au sud ? La zone de recherches prendrait alors des proportions imprévues.

Depuis 1912, les projets de renflouement de l'épave n'ont pas manqué. Ils sont loin d'être désintéressés : selon la légende, le paquebot abriterait un véritable trésor. On parle de diamants, d'or, d'œuvres d'art... Perspective propre à stimuler l'esprit d'entreprise de bien des aventuriers. Plusieurs tentatives ont été poussées aussi loin que possible, telle, en 1953, celle du Britannique Douglas Woolley. Une première campagne de recherches est demeurée infructueuse. Sonars et caméras se sont montrés impuissants à détecter l'épave. Depuis, Allemands et Américains ont tenté leur chance à leur tour. La société Walt Disney aurait dépensé la bagatelle de 700 000 dollars en études préliminaires dans l'espoir de tourner un film sur le site de l'épave. Au début des années 80, le milliardaire Jack Grimm a consacré 2 millions de dollars à financer trois expéditions équipées d'un matériel ultrasophistiqué. Peine perdue. Nul n'a pu retrouver l'épave. Le *Titanic* semble s'être évanoui. Un océanographe américain, ancien de la Navy et spécialiste de l'ingénierie sous-marine, refuse pourtant de se laisser décourager. Depuis des années, il accumule des informations sur les conditions du naufrage et la topographie de la région tourmentée de l'Atlantique où le paquebot de la White Star a sombré. En 1983, sa rencontre avec des chercheurs de l'Ifremer se révèle décisive pour la concrétisation de ses projets.

Le 1er septembre 1985, à 1 heure du matin, le cuisinier du *Knorr* se charge de réveiller Robert Ballard[1]. La caméra d'Argo, un des deux robots remorqués par le *Knorr*, vient de détecter quelque chose. Sur les écrans, une sorte d'énorme marmite se dessine. Les détails apparaissent avec une étonnante précision. Les membres de l'expédition n'ont aucun mal à l'identifier : il s'agit de l'une des vingt-neuf chaudières du *Titanic*, à moitié submergée par la boue. Sur l'écran du téléviseur surgit soudain le pont des embarcations. A la place des cheminées, des trous béants. Au-dessus du centre du navire, la forme tout aplatie de la timonerie. Un moment plus tard, c'est tout l'avant du paquebot qui apparaît, enfoui sous une épaisse couche de rouille et de végétation sous-marine. Ballard prend aussitôt les dispositions nécessaires afin qu'Argo effectue plusieurs passages au-dessus de l'épave et prenne, avec son énorme flash, autant de photos que possible. Sur le gaillard d'avant, les chaînes des ancres sont encore fixées sur leur treuil. Couché en travers du pont, le nid-de-pie où se tenait la vigie. Tout autour de l'épave, des assiettes, des bouteilles, intactes. Puis apparaît un amas de tôles déchirées. Et plus rien. La poupe du *Titanic* a disparu. Là où la partie arrière aurait dû se dessiner sur les écrans, les images ne laissent voir qu'un épouvantable chaos de tôles déchirées.

Quelques heures plus tard, en surface, c'est la tempête. Les opérations doivent être interrompues. La première campagne de fouilles s'achève précipi-

1. Voir Robert D. Ballard, *L'Exploration du Titanic. Comment fut retrouvé le plus grand navire jamais coulé* (Glénat, Paris, 1988).

tamment. A bord du *Knorr*, c'est la liesse. La localisation du *Titanic* constitue en soi une avancée capitale.

Cette première exploration permet d'aboutir à des constations intéressantes, mais sonne le glas de bien des espoirs : en dépit de la protection apportée par sa peinture neuve, le paquebot a fort souffert de son séjour dans les abysses. De larges coulées de rouille ont recouvert les parties métalliques. Les parties de bois, elles, n'ont pas résisté. Quant aux disparus, ils n'ont laissé aucune trace. Les corps des victimes restées prisonnières du navire ont dû être totalement décomposés par l'eau de mer et les micro-organismes marins.

Un an plus tard, en juillet 1986, Ballard retourne sur les lieux. Sans les Français qui, au dernier moment, n'ont pu obtenir les moyens nécessaires à leur mission. Les Américains disposent cette fois d'un sous-marin baptisé *Alvin*. Au cours de la première plongée, tous les instruments de détection tombent en panne en même temps. Au moment où l'équipage de l'*Alvin* décide de regagner la surface, les projecteurs du sous-marin font surgir de l'obscurité une gigantesque muraille sombre : le flanc du *Titanic*.

Le lendemain, l'exploration de l'épave peut reprendre. Cette fois, l'équipage de l'*Alvin* peut voir l'étrave immense du paquebot. La partie avant du *Titanic* apparaît profondément enfoncée dans la boue. L'*Alvin* parvient à la hauteur du bossoir n° 8. Robert Ballard poursuit son exploration le long du gaillard d'avant, s'arrête devant la cabine du capitaine Smith. Un hublot est resté ouvert et l'une des parois est défoncée. Le robot sous-marin Jason approche du sabord. La cabine est vide. Il n'y a rien que de l'eau et de la rouille.

Les passages effectués par l'*Alvin* au-dessus du site au cours de cette deuxième exploration permettent de retrouver l'ensemble de l'épave. La poupe se trouve en fait à 600 mètres de la partie avant, mais elle lui tourne le dos, après avoir pivoté à 180 degrés. Quant à la partie centrale, il se confirme qu'elle est totalement démantelée, comme sous l'effet d'une formidable implosion. Sous la pression de l'eau, le *Titanic* s'est brisé. Une découverte qui confirme les témoignages de certains passagers présents dans les canots, qui ont vu le *Titanic* se casser en deux au moment où l'arrière commençait à se dresser à la verticale. Il existe une autre confirmation de cet épisode de la catastrophe : les croquis dessinés par John B. Thayer à bord du *Carpathia* et publiés aussitôt après le naufrage par le *New York Times* et l'*Illustration*. D'après ces dessins, le bâtiment se serait brisé par le milieu vers 1 h 50. Après avoir brutalement réapparu à la surface, l'avant aurait sombré presque immédiatement tandis que l'arrière, après avoir pivoté sur lui-même, serait resté pendant plus de cinq minutes à la verticale avant de s'enfoncer.

Les extraordinaires images recueillies donnent le sentiment de visiter le navire immédiatement après la catastrophe. Robert Ballard et son équipe rapportent cette fois soixante heures de films vidéo et près de soixante mille photographies. Plus d'un demi-siècle après la catastrophe, tout le bateau a fait l'objet d'une analyse minutieuse.

## Le sauvetage des reliques du Titanic

1987 marque une nouvelle étape dans la sauvegarde de l'épave du *Titanic*. George Tulloch, fondateur de la société RMS Titanic Inc., charge l'Ifremer de poursuivre les explorations. Avec un nouvel objectif : sauver le plus grand nombre possible de vestiges du paquebot. Tulloch et ses amis n'ont pas renoncé au vieux rêve de renflouer le *Titanic*. En attendant, il s'agit de remonter à la surface tout ce qui peut l'être avant que les micro-organismes sous-marins n'achèvent leur œuvre de désintégration.

Le projet contredit formellement les idées de Robert Ballard qui, lors de la dernière plongée de l'*Alvin,* avait apposé sur la coque une plaque priant « ceux qui voudraient venir en ces lieux de laisser le paquebot en l'état et de ne pas bouleverser son conte-nu ». Deux conceptions s'opposent. L'une, considé-rant que le *Titanic* dans son état actuel est avant tout le tombeau de près de mille cinq cents êtres humains, voudrait faire du site où repose l'épave du géant des mers un « mémorial sous-marin » ; l'autre, prenant acte de la disparition des corps, soutient que le souvenir des disparus sera mieux préservé par un « mémorial de surface », où seraient rassemblés les restes de l'épave et les objets personnels des passa-gers. En 1987, la justice américaine tranche en faveur de George Tulloch, en attribuant à RMS Titanic Inc. la propriété de l'épave et de tout ce qu'elle contient, sous réserve qu'aucun vestige ne soit commercialisé, à l'exception du charbon de la soute, débité en frag-ments vendus 25 dollars pièce afin de financer les fouilles.

Les opérations sont menées à partir du *Nadir,* qui emporte le sous-marin *Nautile.* L'Ifremer prépare le terrain en complétant la documentation disponible. Quarante mille photos supplémentaires sont prises, mille cinq cents heures de films vidéo sont tournées sur une zone de 60 hectares autour de l'épave.

La remontée des précieuses reliques du *Titanic* pose de nombreux problèmes techniques. La force des courants et la profondeur ne permettent pas de tendre un câble entre la surface et ce qui reste du paquebot de la White Star. Seul le *Nautile* – dont les bras articulés sont capables de faire des nœuds et de saisir les pièces – est capable de mener à bien une telle mission. Placés dans des conteneurs, les objets de petite taille – assiettes, bouteilles, lampes, etc. – regagnent la surface grâce au sous-marin. Les plus gros sont placés dans des bouées de sauvetage remplies de gas-oil, qui permettent un acheminement en douceur vers la surface. La tâche est longue et délicate. L'équipe de l'Ifremer enregistre plusieurs échecs. Néanmoins, cinq mille pièces au total sont arrachées à l'océan.

En 1991, George Tulloch confie à Stéphane Pennec et à son équipe du laboratoire LP3, installé en Bourgogne, la tâche d'assurer la conservation et la restauration des objets témoins de la tragédie de 1912. A quatre-vingt-cinq années de distance, grâce à des techniques ultrasophistiquées, les chercheurs de LP3 sont actuellement en train de restituer dans leur état quasi originel les plus menues traces de la vie quotidienne des passagers du légendaire transatlantique. Vêtements, bijoux, sacs, partitions d'orchestre, uniformes d'officiers, cartes postales, vaisselle, instruments de navigation, vieux journaux et billets de cinq dollars sont nettoyés, désinfectés, consolidés avant d'être rassemblés dans un musée dédié au souvenir du naufrage du plus grand et du plus beau paquebot du monde.

Qu'en est-il aujourd'hui des « mystères » censés entourer la disparition du *Titanic*? Force est de constater qu'aucune des découvertes effectuées à la suite de l'exploration de l'épave n'est venue contredire les enquêtes menées aussitôt après la catastrophe, en Grande-Bretagne comme aux États-Unis. Le choc accidentel avec l'iceberg, l'invasion par l'océan des premiers compartiments et de la chaudière n° 6, tels qu'ils sont rapportés par Walter Lord, ne sont pas des inventions. Il est temps, donc, de relire les conclusions sur les causes du désastre, auxquelles étaient très tôt parvenus les enquêteurs.

Dès le lendemain de leur arrivée à New York, le 19 avril 1912, les officiers et une partie des membres survivants de l'équipage du *Titanic* apprennent qu'ils sont retenus sur le territoire américain jusqu'à nouvel ordre. Pas question pour eux de rejoindre la Grande-Bretagne avant d'avoir été interrogés par la commission dont le Sénat vient de décider la constitution. L'interdiction de quitter les États-Unis concerne également Bruce Ismay et Marconi, le directeur de la compagnie chargée de l'équipement T.S.F. du *Titanic*. Plusieurs passagers sont également invités à témoigner. Au total, on enregistrera une cinquantaine d'auditions. Les séances, présidées par le sénateur Smith, se dérouleront du 19 avril au 25 mai dans les salons du Waldorf Astoria de New York.

Cette enquête américaine sera conduite parallèlement à celles engagées en Grande-Bretagne par le tribunal des naufrages, présidé par lord Mersey, et le Board of Trade.

Le climat dans lequel travaillent Britanniques et Américains a beau être différent – côté anglais, les membres des deux commissions sont des spécialistes des questions maritimes ; côté américain, des sénateurs qui ne connaissent pas grand-chose à la mer ni aux navires –, on se concentre de part et d'autre sur l'examen des mêmes points forts du dossier.

En ce qui concerne la conception du *Titanic*, Bruce Ismay était le mieux à même d'éclairer les enquêteurs sur ses différentes étapes. L'histoire du *Titanic* avait en fait commencé en 1907, au moment où les dirigeants de la White Star avaient jeté les bases du projet de construction de trois immenses paquebots. Depuis un demi-siècle, le trafic de passagers n'avait cessé d'augmenter sur les lignes de l'Atlantique nord. A la clientèle des Américains fortunés désireux de se ressourcer en Europe pendant quelques semaines, aux hommes d'affaires, universitaires et ingénieurs contraints de voyager d'un continent à l'autre, s'ajoutait la masse croissante des émigrants – en 1913, ils sont presque un million et demi à s'embarquer pour l'Amérique. Le marché générait des recettes substantielles, mais aussi une concurrence impitoyable, en particulier entre les compagnies transatlantiques allemandes – la Hamburg Amerika et la Norddeutscher – et britanniques – au premier rang desquelles la White Star, capable d'aligner 500 000 tonnes. Pour les Britanniques, il s'agissait de relever au plus vite le défi lancé par les compagnies allemandes qui disposaient déjà de deux paquebots géants, le *Mauritania* et le *Lusitania*.

La construction du *Titanic* est menée rapidement. La pose de la quille intervient le 31 mars 1909, le lancement le 31 mai 1911. En mars 1912, le paquebot est fin prêt. Les essais ont lieu le 1er avril, près de Belfast. Les machines ne sont même pas poussées au maximum. Seul défaut du navire, un équilibrage défectueux : il penche sur bâbord. Rien d'inquiétant. Une meilleure répartition du charbon permettra de corriger ce déséquilibre.

Deux jours plus tard, le bâtiment arrive à Southampton, prêt au départ.

Sur le papier, le *Titanic* semble bel et bien inaugurer une nouvelle génération de paquebots « quasi insubmersibles ». Il est divisé en quinze cloisons et seize compartiments. La fermeture des portes étanches s'effectue depuis la passerelle, par commande électrique. Elle peut encore se faire sur place, manuellement, ou même automatiquement par l'intermédiaire de flotteurs de sécurité en cas de rentrée d'eau intempestive. Son système de navigation – compas, barre, table traçante, loch – est à l'avant-garde de la technique. Il dispose d'un appareil de détection acoustisque d'obstacles immergés. Par ses dimensions, il paraît à l'abri des plus violents coups de mer. Le *Titanic* peut continuer à flotter avec deux compartiments principaux envahis. Tous les organes majeurs – chaufferie, machines, turbine – sont placés dans des compartiments indépendants. En cas de voie d'eau, cinq pompes de ballast, en liaison avec trois pompes de cale, ont une capacité d'évacuation de 400 tonnes d'eau par heure.

Dans les conditions réelles de navigation, les choses apparaissent vite plus complexes que prévu. Les nécessités commerciales expliquent que les responsables de la White Star aient vu très grand. Trop grand. Les dimensions exceptionnelles des trois *super-liners* qui sortent des chantiers Harland & Wolf à partir de 1911 – l'*Olympic*, le *Titanic* et le *Britannic* –, et la lenteur à manœuvrer qui en résulte, sont à l'origine de divers incidents sur le *Titanic* avant même la rencontre avec l'iceberg fatal

– tel celui qui manque de causer une collision avec le *New York*.

Au lendemain de la catastrophe des 14-15 avril 1912, de nombreuses expériences seront effectuées avec l'*Olympic*. Elles permettront de vérifier le délai de 35 secondes intervenant entre la commande de la barre et la réaction du navire. Cette lenteur contribuera d'ailleurs à deux des abordages de l'*Olympic*, le premier en 1924 avec le *Fort Saint George*, et le second dix ans plus tard, avec le bateau-feu de Nantucket.

Concernant le cloisonnement du navire, Walter Lord souligne suffisamment, à la suite des commissions d'enquête, une particularité de la construction qui, dans les conditions de l'accident, s'est révélée être une faiblesse grave : aucune cloison étanche n'atteignait le pont A. Un cloisonnement vertical complet n'aurait pas empêché l'invasion des compartiments avant et de la chaufferie n° 6, mais il aurait peut-être retardé l'envahissement des chaufferies n° 4 et 5, permettant au *Carpathia* d'arriver à temps pour sauver un plus grand nombre de passagers.

Lors des auditions, Bruce Ismay a regretté l'initiative de l'officier Murdoch qui a désespérément tenté d'éviter l'obstacle. De fait, si le *Titanic* avait heurté de front l'iceberg, on peut penser que deux ou trois compartiments auraient été défoncés, mais que le bâtiment aurait continué à flotter. En donnant l'ordre de mettre la barre à gauche toute, Murdoch a respecté une procédure fixée de longue date, au cas où un obstacle surgit brutalement devant un navire. En l'occurrence, elle s'est révélée fatale.

Des enquêtes britannique et américaine, il ressort que la cause première de la catastrophe tient, en réalité, à un phénomène climatique exceptionnel. Le paquebot de la White Star a eu la malchance de rencontrer en travers de sa route une formidable concentration d'icebergs et même une banquise de 20 à 30 milles de long. Cette même banquise qui a barré la route au *Californian* et empêché le *Mount Temple,* qui accourait au secours du *Titanic,* de gagner directement le lieu du naufrage.

Il est plus que probable, dans ces conditions, qu'un accident était inévitable. Le *Titanic* aurait pu éviter un iceberg isolé. Il aurait fatalement rencontré un autre de ces énormes blocs de glace que les rescapés ont aperçus, à l'aube du 15 avril.

L'hiver de 1912 avait été d'une douceur exceptionnelle dans les mers polaires. Des masses considérables de glace s'étaient détachées des glaciers du Groenland. Depuis plusieurs semaines, des fragments de banquise dérivaient vers le sud, à des latitudes anormalement basses.

Le phénomène avait été signalé à plusieurs reprises par les pêcheurs de Terre-Neuve. Pourtant, au début du printemps, les compagnies n'ont pas cru utile de modifier les itinéraires. La mesure n'interviendra qu'à la suite de la tragédie du *Titanic,* le 19 avril. Les paquebots en route vers les États-Unis devront désormais descendre entre le 45e et le 50e méridien jusqu'à 39° de latitude au lieu de 42°. Pour les bâtiments se dirigeant vers l'Europe, l'itinéraire est fixé au 38° et 37° 40' nord...

Dans le drame du *Titanic,* la négligence des hommes a également joué son rôle. Négligence d'un opérateur radio surmené, qui oublie de transmettre à la passerelle deux des messages reçus au cours de la journée du 14 avril, signalant la présence de glace ; faute des officiers, qui auraient dû distribuer des jumelles aux veilleurs aussitôt que le danger avait été signalé ; erreur, enfin, du capitaine Smith lui-même – la situation aurait exigé qu'il réunît les officiers destinés à assurer le quart pendant la nuit et qu'il procédât avec eux à une analyse de toutes les informations disponibles sur la position des glaces.

Certes, la catastrophe tient aussi à une malchance exceptionnelle, que les marins les plus expérimentés auraient eu de la peine à envisager sérieusement. Les compagnies d'assurance, n'avaient pas manqué d'évaluer au plus juste les risques de rencontre entre un navire et un iceberg. Ils étaient considérés comme pratiquement négligeables. Sur près de 90 000 traversées de l'Atlantique effectuées de 1890 à 1910 par des bâtiments battant pavillon britannique, les statistiques font apparaître seulement treize accidents liés à la glace ; aucun n'avait fait la moindre victime. Il a fallu que le *Titanic* croise, par une nuit sans houle – qui signale la proximité des glaces en les cernant d'une large frange d'écume –, un iceberg de taille à lui causer une avarie fatale.

### Un règlement obsolète

Parmi les témoignages recueillis par les différentes commissions d'enquête et répercutés par la presse, beaucoup portent sur l'évacuation du navire et le comportement des passagers et de l'équipage. On n'en finit pas de citer tel acte d'héroïsme, telle marque choquante de lâcheté. Impossible, en tout cas, d'échapper à la question fondamentale, lancinante : pourquoi si peu de rescapés ? Ni la panique (toute relative : les vingt canots de sauvetage ont tout de même pu être mis à la mer) ni l'incapacité manifeste de certains membres de l'équipage (beaucoup de matelots n'avaient jamais participé au moindre exercice de sauvetage, la plupart ne savaient pas manœuvrer les canots ni même, selon certains rescapés, se servir d'un aviron) ne suffisent à expliquer que 711 personnes seulement aient pu être sauvées sur les 2 198 présentes à bord du *Titanic* au moment du naufrage.

Au cours de l'été 1912, au fil des travaux des commissions d'enquête, l'opinion publique découvre avec stupeur les réglements maritimes en vigueur qui fixent à seize le nombre d'embarcations de sauvetage obligatoires sur un bâtiment tel que le *Titanic*. Chaque baleinière pouvant embarquer environ soixante-cinq passagers, on obtient un total d'un millier de places disponibles sur les canots, alors que le paquebot géant de la White Star est conçu pour transporter trois fois plus de passagers. Les dirigeants de la compagnie britannique auront beau jeu de faire valoir qu'avec ses vingt canots, le *Titanic* faisait mieux que respecter la loi ! Un simple calcul montre que sur les 2 198 personnes effectivement embarquées, la moitié, au bas mot, n'auraient pu, de toute façon, trouver place dans les vingt baleinières. Les raisons de cette scandaleuse anomalie ? Le règlement du Board of Trade, édicté en 1894 et jamais modifié, n'avait tout simplement pas prévu que le tonnage et la capacité des transatlantiques seraient décuplées en moins de vingt ans. Comment, en 1894, aurait-on pu imaginer les 45 000 tonnes et les 269 mètres de long du *Titanic* ? Les vieux vapeurs ne dépassaient pas 1 500 tonnes. Les premiers grands paquebots, au début du siècle, atteignaient, quant à eux, les 15 000 tonnes…

Pourquoi les spécialistes des affaires maritimes ne réformèrent-ils pas ces règles obsolètes ? Les statistiques apportent une première réponse. Dans les années qui précèdent le naufrage du *Titanic*, une dizaine d'accidents seulement ont été déplorés sur 24 000 traversées de l'Atlantique. Les compagnies d'assurances elles-mêmes considèrent les paquebots comme le moyen de transport le plus sûr au monde. A quoi bon importuner les armateurs avec des précautions devenues inutiles ?

En août 1912, les commissions d'enquête formuleront, parallèlement à leurs conclusions sur les raisons du naufrage, un certain nombre de recommandations sur le cloisonnement des navires, le nombre d'embarcations de sauvetage, l'utilisation de la T.S.F. et la prévention de la dérive des glaces. Selon la nouvelle réglementation du Board of Trade, les paquebots devront désormais disposer de canots en nombre suffisant pour évacuer la totalité des passagers et des membres de l'équipage. La première conférence internationale pour la sauvegarde de la vie en mer, qui se réunira en novembre 1913, à Londres, confirmera ces dispositions... qui ne deviendront pourtant obligatoires qu'en 1929.

Reste un mystère qui pèse lourd dans le bilan de la catastrophe. Les rescapés, passagers et officiers ont cru apercevoir, dans la nuit du 14 au 15 avril, les feux d'un navire immobile à quelques milles à peine du lieu de la catastrophe. Ont-ils rêvé ? Parmi les cinq navires identifiés proches du *Titanic* cette nuit-là, deux seulement étaient à une distance leur permettant de porter rapidement assistance aux naufragés. Le *Mount Temple* était à 50 milles à l'ouest ; le *Carpathia*, à une soixantaine de milles au sud-est. Bloqué par les glaces, le *Mount Temple* n'atteindra le lieu de la catastrophe que le lendemain dans la journée. Quant au *Carpathia*, on sait qu'il recueillera les 711 survivants à 4 h 10 du matin, soit près de deux heures après la disparition du *Titanic*.

Et le mystérieux navire fantôme ? Les commissions d'enquêtes britannique et américaine mettront toutes deux en cause le *Californian*. Selon les déclarations de ses officiers, le cargot de la Leyland aurait assisté au drame, à plus de 19 milles au nord, sans rien y comprendre. Il est vrai que, ce soir-là, son radio était allé se coucher à 23 h 30. Le *Californian* n'a donc rien su des messages de détresse envoyés par Bride et Phillips... Pendant des heures, les officiers de quart se sont contentés d'observer les lumières du *Titanic* en train de disparaître. Ils ont également aperçu les fusées blanches. Sans réagir. Le capitaine Lord a attendu le matin pour se diriger vers la position du *Titanic*, communiquée par le *Virginian* en route pour Halifax, à 170 milles de là. Y a-t-il eu négligence criminelle ? Les commissions n'hésiteront pas à accuser le capitaine Lord de mensonge en contestant la position du *Californian* qui, cette nuit-là, se serait trouvé en réalité à 8 ou 10 milles du *Titanic*, c'est-à-dire en situation d'intervenir très rapidement et de sauver la plus grande partie des naufragés. Jusqu'à la fin de sa vie, le capitaine Lord protestera de son innocence. Ses défenseurs feront valoir la présence d'autres navires non identifiés dans un rayon de quelques dizaines de milles. Rien ne prouve, aujourd'hui encore, que les feux aperçus par les veilleurs du *Californian* étaient bien ceux du *Titanic*, ni que les lueurs devinées par les rescapés émanaient bien du *Californian*...

## Ultimes révélations sur un mystérieux passager clandestin

Il est un passager dont Walter Lord n'a pu reconstituer les faits et gestes dans les derniers instants du *Titanic*. Et pour cause : Howard H. Irwin n'était pas censé se trouver là, et personne n'a connu son existence avant que les chercheurs de LP3 Conservation, chargés de traiter les effets remontés du fond de l'océan, ne découvrent son nom au fond d'une vieille malle.

« Très cher, personne ne peut prendre ta place. » Écrite le 8 novembre 1912 et envoyée d'Indianapolis, la lettre qui débute par ces mots fait partie d'une longue correspondance échangée entre Irwin et sa fiancée, Pearl Shuttle. Au moment où Stéphane Pennec, du laboratoire LP3, confronte le nom de cet homme avec la liste des passagers, il constate qu'aucun Howard Irwin n'a embarqué à bord du *Titanic* ! Officiellement, du moins. Dans la malle, il découvre des cartes de visite à son nom, un journal intime, les lettres de sa fiancée. Or Irwin n'était probablement pas un passager clandestin – ou alors il ne se serait pas embarrassé d'une malle. La solution de l'énigme était à chercher ailleurs.

Au terme de plusieurs mois d'enquête, le chercheur américain Matt Tulloch a réussi à résoudre le mystère Irwin et même à reconstituer la biographie du passager fantôme. Irwin se trouvait effectivement à bord du *Titanic*, mais sous un nom d'emprunt. Des jeux de cartes, des billets de courses de lévriers et de chevaux aux États-Unis et en Australie montrent qu'Irwin était un joueur quasi professionnel, même si son métier d'origine était la fabrication de selles et de harnais. Au moment où l'homme s'embarque sur le *Titanic*, à Southampton, il boucle un tour du monde. Aventurier désargenté, Howard Irwin commence son voyage autour du globe en janvier 1910. Il parcourt d'abord les États-Unis en train, d'est en ouest, se faisant embaucher dans des tanneries et jouant au poker. En Californie, il s'embarque. Destination, l'Australie. Là-bas, il collectionne grigris, peaux de serpents et d'antilopes – tout un bric-à-brac qui se trouvait dans sa malle au moment du naufrage.

Au bout d'un an, Irwin traverse l'océan Pacifique, puis rejoint l'Europe par le canal de Suez. Il réside quelque temps en France et en Angleterre avant de s'embarquer à nouveau à bord du *Titanic*, à Southampton. Selon Matt Tulloch, Irwin ne voyageait pas seul. Dans son journal de bord, il mentionne un camarade rencontré à Buffalo, dans l'État de New York : Henry Jr Sutehall occupe une cabine de troisième classe sur le *Titanic*. Sutehall est d'ailleurs compté parmi les victimes. Une carte de membre d'une sorte de loge maçonnique, domiciliée à Niagara Street, à Buffalo, au nord de New York, retrouvée dans les affaires d'Irwin, a conduit Matt Tulloch jusqu'à cette ville. Dans son journal, Irwin indiquait que le club International Order of Odd Fellows se réunissait tous les vendredis à 20 heures. Tulloch s'y est rendu. A 20 heures précises, un vieillard lui a ouvert les portes. D'autres sont arrivés. L'International Order of Odd Fellows existait encore ! Le maître de la loge a fini par accepter de montrer le vieil annuaire du club. Le nom de Howard Irwin y figure. Sa date de naissance est mentionnée. A la place où devrait être notée celle de son décès, un blanc.

Toutes les spéculations sont possibles concernant le destin de Howard Irwin. Rien ne prouve que le fiancé de Pearl Shuttle soit mort noyé dans la nuit du 14 au 15 avril 1912. Il a pu aussi bien prendre place dans un des canots, parmi les 119 passagers mâles qui furent finalement sauvés, puis escalade les échelles de sauvetage du *Carpathia* et enfin poser le pied, trois jours plus tard, sur un quai de Manhattan. Souhaitons-le-lui.

Jean-Luc MAJOURET

# CHRONOLOGIE DU *TITANIC*

## 1907

La compagnie transatlantique britannique White Star décide de lancer la construction de trois super-paquebots de luxe, baptisés l'*Olympic*, le *Titanic* et le *Britannic*.

## 1908-1909

L'*Olympic* et le *Titanic* sont mis en chantier à Queen Island, près de Belfast, en Irlande, par Harland & Wolf.

## 1910

**20 octobre :** l'*Olympic* est mis à flot à Queen Island.

## 1911

**31 mai :** la coque du *Titanic* est achevée. Elle mesure 269 mètres de long et pèse 46 000 tonnes. Le lancement s'effectue en présence d'une foule enthousiaste. Au cours des dix mois suivants, le paquebot géant reçoit ses équipements et ses aménagements intérieurs.

**Juin :** l'*Olympic* accomplit son premier voyage au départ de Southampton, près de Londres. La traversée jusqu'à New York s'effectue sans problème.

**Juillet :** une étude technique parue dans *Scientific American* met en doute la capacité de résistance du *Titanic* en cas de collision avec un iceberg.

## 1912

**Janvier :** seize canots de sauvetage et quatre radeaux repliables sont installés à bord du *Titanic*.

**31 mars :** le *Titanic* est achevé.

**3 avril :** flambant neuf, le *Titanic* arrive à Southampton.

**10 avril, 12 heures :** le *Titanic* appareille pour Cherbourg.

**18 h 30 :** escale à Cherbourg. Cent vingt passagers supplémentaires montent à bord.

**20 h 30 :** le *Titanic* lève l'ancre à destination de Queenstown, en Irlande.

**11 avril, 13 h 30 :** le paquebot quitte Queenstown. A son bord, 885 hommes d'équipage et 1 313 passagers.

**12 et 13 avril :** le *Titanic* navigue par temps calme et clair.

**14 avril :** sept messages faisant état de présence de glaces sont captés par la radio du *Titanic* au cours de la journée.

**23 h 40 :** les veilleurs aperçoivent au dernier moment un iceberg droit devant. L'iceberg heurte le *Titanic* par tribord.

**23 h 50 :** l'eau s'engouffre dans la coque et monte de plus de 4 mètres dans les parties basses de l'avant.

**Minuit :** le capitaine Smith donne l'ordre d'envoyer des signaux de détresse.

**15 avril, 0 h 05 :** passagers et équipage sont rassemblés sur le pont.

**0 h 15 :** les premiers signaux de détresse sont envoyés.

**0 h 25 :** l'évacuation des femmes et des enfants commence.

**0 h 45 :** le premier canot est mis à l'eau.

**1 h 15 :** la gîte des ponts s'accentue.

**1 h 40 :** la plupart des canots ont quitté le navire. Les 1 500 personnes qui n'ont pu trouver place dans les embarcations de sauvetage refluent vers l'arrière.

**2 h 05 :** le dernier canot s'éloigne. La gîte devient de plus en plus forte.

**2 h 17 :** le dernier message radio est envoyé. La proue du *Titanic* s'enfonce sous l'eau. La première cheminée s'effondre.

**2 h 18 :** les lumières du paquebot vacillent et s'éteignent. De nombreux rescapés voient le navire se briser en deux. La partie avant coule.

**2 h 20 :** la partie arrière du *Titanic* se dresse verticalement vers le ciel, se maintient dans cette position quelques instants. Elle se remplit d'eau et finit par couler à son tour.

**3 h 30 :** dans les canots, les survivants aperçoivent les fusées tirées par le *Carpathia* qui arrive à la rescousse.

**4 h 10 :** les survivants du premier canot sont repérés par le *Carpathia*.

**8 h 50 :** le *Carpathia* quitte les lieux du naufrage et fait route sur New York avec 711 rescapés à bord.

**18 avril, 21 h :** le *Carpathia* arrive à New York. Plus de 30 000 personnes attendent sur les quais.

**22 heures :** les 711 survivants débarquent.

**19 avril - 25 mai :** les officiers et une partie des membres de l'équipage du *Titanic* sont retenus sur le territoire américain. Une commission d'enquête sur le désastre du *Titanic* est constituée par le Sénat des États-Unis. Elle siège dans les salons de l'hôtel Astoria, à New York.

**22 avril - 15 mai :** 238 corps sont repêchés par divers bâtiments envoyés sur les lieux du naufrage.

**2 mai - 3 juillet :** le tribunal des naufrages britannique tient ses assises à Londres.

## 1914

**20 janvier :** treize pays décident la création d'un service international chargé de rechercher et éventuellement de détruire les glaces flottantes. L'armée américaine assure le fonctionnement technique de la Patrouille des glaces.

**Février :** le second jumeau du *Titanic*, le *Britannic*, est lancé. Il sera coulé deux ans plus tard, au cours de la Première Guerre mondiale.

## 1935

L'*Olympic* est désarmé, après vingt-quatre ans de navigation.

## 1985

**1ᵉʳ septembre :** une expédition scientifique conjointe, franco-américaine, conduite par l'Américain Robert D. Ballard, parvient à localiser la partie avant du *Titanic*.

## 1986

**15-27 juillet :** le mini-sous-marin *Alvin* inspecte l'épave qui repose par 3 950 mètres de fond, cassée en deux. Plusieurs campagnes d'exploration permettent par la suite de rassembler 40 000 photos et 1 500 heures de films vidéo.

**6 octobre :** le Sénat américain, à la suite de la Chambre des représentants, vote une loi qui fait du site du *Titanic* un mémorial maritime.

## 1987

George Tulloch, ancien président de BMW aux États-Unis, fonde la société RMS Titanic Inc., qui obtient la propriété de l'épave. Les fouilles sont confiées à l'Ifremer. Elles se poursuivent grâce au sous-marin *Nautile*, qui passe au peigne fin une zone de 60 hectares autour du navire.

## 1991

Des centaines d'objets récupérés sur l'épave sont confiés au laboratoire français LP3 Conservation, pour restauration. La RMS Titanic Inc., qui s'est engagée à ne pas les mettre en vente, programme diverses expositions en Europe et aux États-Unis.

# Table

*Préface*, par Alain Bombard . . . . . . . . . . . .    7

*Avant-propos* . . . . . . . . . . . . . . . . . . . .   19

La nuit du Titanic . . . . . . . . . . . . . . . . . .   21

*Remerciements*  . . . . . . . . . . . . . . . . . . .  209

*Postface*, par Jean-Luc Majouret . . . . . . . . .  217

*Chronologie du* Titanic  . . . . . . . . . . . . . .  237

Cet ouvrage composé
par Mad'Com
a été achevé d'imprimer sur presse Cameron
dans les ateliers de Brodard et Taupin
à La Flèche (Sarthe)
en janvier 1998
pour le compte des Éditions de l'Archipel
département éditorial
de la S.A.R.L. Écriture-Communication

Imprimé en France
N° d'édition : 197 – N° d'impression : 6298T-5
Dépôt légal : janvier 1998